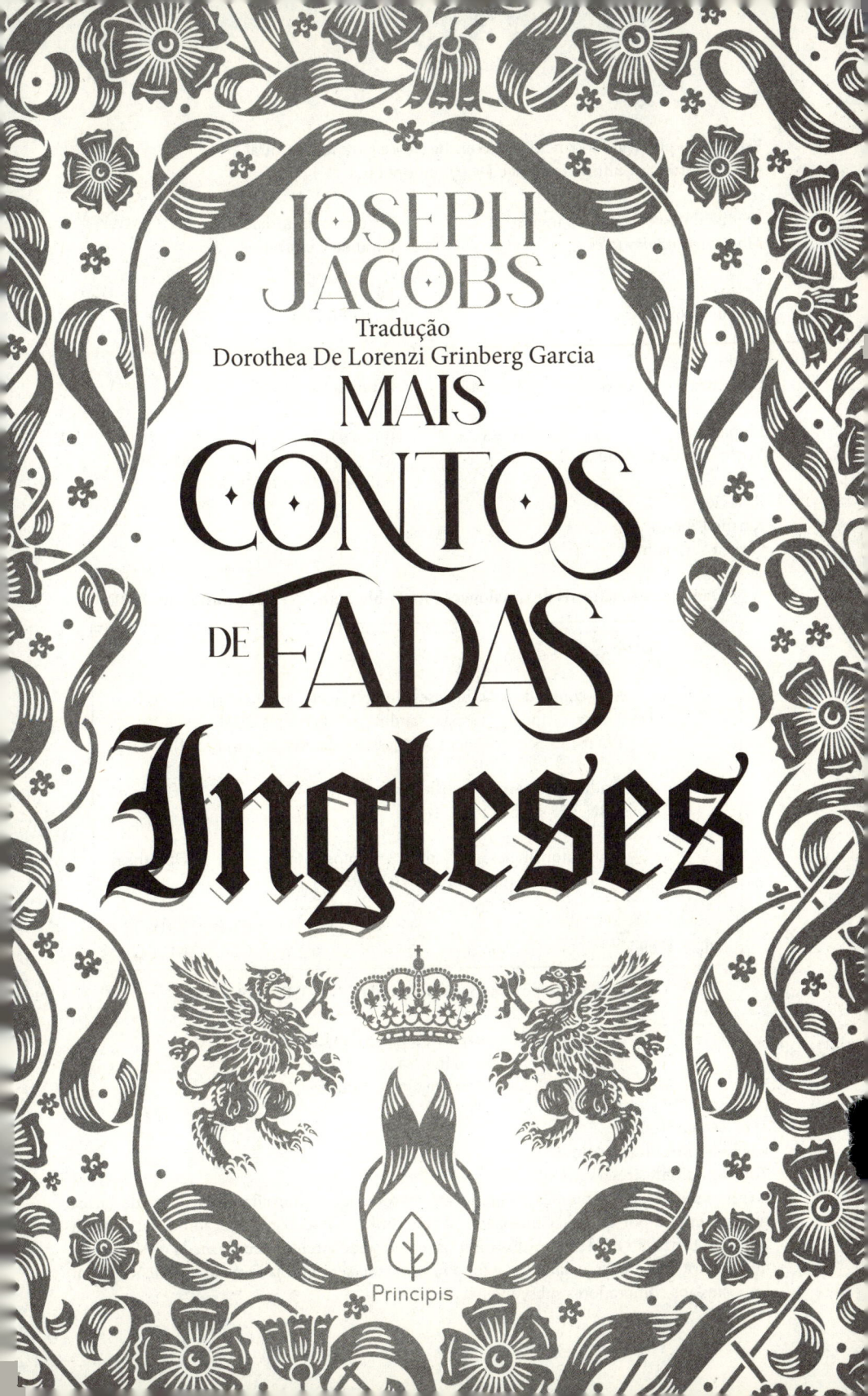

Esta é uma publicação Principis, selo exclusivo da Ciranda Cultural
© 2021 Ciranda Cultural Editora e Distribuidora Ltda.

Traduzido do original em inglês
More english fairy tales

Texto
Joseph Jacobs

Tradução
Dorothea De Lorenzi Grinberg Garcia

Preparação
Mirtes Ugeda Coscodai

Revisão
Karine Ribeiro
Cleusa S. Quadros

Produção editorial
Ciranda Cultural

Diagramação
Linea Editora

Design de capa
Ciranda Cultural

Imagens
Roberto Castillo/Shutterstock.com;
KateVogel/Shutterstock.com

Dados Internacionais de Catalogação na Publicação (CIP) de acordo com ISBD

J17m	Jacobs, Joseph
	Mais contos de fadas ingleses / Joseph Jacobs ; traduzido por Dorothea De Lorenzi Grinberg Garcia. - Jandira, SP : Principis, 2021.
	192 p. ; 15,5cm x 22,6cm. – (Clássicos da literatura mundial)
	Tradução de: More english fairy tales
	ISBN: 978-65-5552-362-1
	1. Literatura inglesa. 2. Contos. 3. Contos de fadas. I. Garcia, Dorothea De Lorenzi Grinberg. II. Título. III. Série.
2021-1709	CDD 823.91
	CDU 821.111-3

Elaborado por Vagner Rodolfo da Silva - CRB-8/9410

Índice para catálogo sistemático:
1. Literatura inglesa : Contos 823.91
2. Literatura inglesa : Contos 821.111-3

1ª edição em 2021
www.cirandacultural.com.br
Todos os direitos reservados.
Nenhuma parte desta publicação pode ser reproduzida, arquivada em sistema de busca ou transmitida por qualquer meio, seja ele eletrônico, fotocópia, gravação ou outros, sem prévia autorização do detentor dos direitos, e não pode circular encadernada ou encapada de maneira distinta daquela em que foi publicada, ou sem que as mesmas condições sejam impostas aos compradores subsequentes.

Sumário

Você sabe como entrar neste livro 7

Prefácio 9

O gaiteiro de Franchville 13

Daqui em diante 17

A bola de ouro 21

Apenas eu 25

O touro negro da Noruega 29

Amarelo-marrom 34

As três penas 41

Sir Gammer Vans 46

Tom Hickathrift 48

A velhinha sortuda 55

Gobborn, o vidente 58

Senhor, tenha piedade de mim 62

Esfarrapada 64

O pãozinho 68

Johnny Gloke 72

O tolo 75

As três vacas 81

O gigante cego 83

Pé Arranhado 85

O mascate de Swaffham	88
A velha bruxa	90
Os três pedidos	95
A lua enterrada	97
Um filho de Adão	103
As crianças na floresta	105
Os fantasminhas	111
Um pote de miolos	114
O rei da Inglaterra e seus três filhos	120
Rei João e o abade de Canterbury	131
Casaco de Palha	134
O rei dos gatos	139
Tomasino	141
As estrelas no céu	145
Novidades!	149
A rã, a ratinha e o ratão	151
O tourinho	153
O homenzinho	157
A fada fiandeira e a pequena rainha das fadas	160
A velha Mãe Mexe-Mexe	165
Pele de Gato	168
Gritos estúpidos	173
O verme de Lambton	177
Os homens sábios de Gotham	182
A princesa de Canterbury	188

Você sabe como entrar neste livro

Bata na aldrava da porta,

Toque o sino do lado,

Então, se você ficar bem quietinho, ouvirá uma vozinha dizer pelas grades: "Pegue a chave". Você a encontrará atrás: não dá para se enganar, pois tem as iniciais J.J. Enfie a chave no buraco da fechadura, ela se encaixará perfeitamente, destranque a porta e

ENTRE

Para meu filho Sydney

Prefácio

Creio que este livro será uma surpresa tanto para meus colegas folcloristas quanto para o público em geral. Naturalmente, pensaram que meu livro anterior (*Contos de fadas ingleses*) já havia praticamente esgotado os remanescentes e espalhados contos folclóricos tradicionais da Inglaterra. Entretanto, ficarei muito desapontado se a presente coleção não for considerada superior à anterior em interesse e vivacidade, pois na sua maior parte desbrava solo virgem até agora; a maioria dos contos neste livro jamais foi divulgada antes ou nunca foi levada para além de suas fronteiras.

Ao compilar esses contos, segui os mesmos princípios usados no livro anterior que até agora, digo com alegria, estabeleceu-se como um tipo de livro inglês dos irmãos Grimm.

Aproveitei contos ingleses onde consegui achá-los; um é dos Estados Unidos, alguns das Terras Baixas escocesas, e alguns foram adaptados de baladas, e deixei um ou dois em suas formas métricas originais. Reescrevi a maioria deles e assim fazendo adotei o estilo inglês tradicional de narrativa popular, com seus regionalismos e toques arcaicos que hoje em dia são conhecidos como vulgarismos. Por causa de minha experiência anterior, creio que cada um desses princípios concordou com alguns críticos que escrevem sob o ponto de vista elevado do folclore ou da "mera literatura" menos elevada. Aproveito a ocasião para abrandar sua ira ou, quem sabe, dar-lhes mais motivos para esbravejar.

Meus colegas do folclore olham com tristeza enquanto me veem lançar mãos profanas sobre o sagrado texto de meus originais. De fato, às vezes introduzi ou eliminei incidentes inteiros, dei outro final para os contos ou terminei um que estava incompleto e não tive escrúpulos em colocar em prosa uma balada ou suavizar o excesso de dialeto.

Isso é um enorme sacrilégio aos olhos dos ortodoxos rígidos do folclore, e minha defesa talvez seja a de que tenho uma causa sentimental a defender, assim como a ciência do folclore: encher a imaginação de nossas crianças com imagens muito vívidas. E mesmo nos níveis mais altos do folclore não fico totalmente sem defesa. Será que meus cordiais críticos acreditam que os materiais de Campbell não foram modificados pelos vários narradores? Por que não posso ter o mesmo privilégio como qualquer outro contador de histórias, especialmente quando conheço as maneiras de contar histórias em inglês tão bem quanto um camponês de Devonshire ou de Lancashire? E, argumento conclusivo, será que vocês, colegas folcloristas ortodoxos, continuarão a usar Grimm e Asbjörnsen? Bem, eles fizeram o mesmo que eu fiz.

E quanto a usar contos das Terras Baixas escocesas, foi chocante segundo uma crítica cuja autoria não me foi difícil reconhecer. O escocês é um dialeto inglês. Os contos escoceses são em inglês! Que horror! Filisteus! Foi esse o grito do revisor, e temo que minha resposta só vá fortalecer sua convicção. Entretanto, apelo para ele perguntando por que fazer diferença entre os contos de outros lados da fronteira? Um conto narrado em Durham ou Cumberland em um dialeto que apenas o doutor Murray poderia distinguir das terras escocesas seria considerado por todos os demais como "inglês." O mesmo conto narrado a algumas milhas mais ao Norte não entraria na mesma qualificação? Um conto em Henderson é inglês; e por que não é inglês um conto em Chambers, que em sua maioria pode ser encontrado também no Sul de Tweed?

A verdade é que meus amigos folcloristas e meus críticos diferem de mim sobre a origem dos contos do folclore. Eles pensam que um conto provavelmente se originou onde foi encontrado, daí atribuem maior importância à forma exata em que foi encontrado e o restringem à localidade de nascimento, mas eu penso diferente; creio ser mais provável que o conto tenha se originado em outro lugar; talvez tenha sido descoberto em um determinado local, mas criado em outro. Já discuti isso em outras situações com toda a solenidade, e não tenho mais como defender minha posição, mas mesmo o leitor que não entende de folclore pode ver que não atribuo muito valor antropológico para contos cuja origem é provavelmente estrangeira, e, sem dúvida, não faço divisões rigorosas entre contos do Norte do país e os contados do outro lado da fronteira.

As autoridades também diferem sobre a maneira de se contar uma história do folclore inglês. Estou inclinado a seguir a tradição de minha velha babá, que não foi criada em Girton, e que às vezes debochava das regras de Lindley Murray e das regras de dicção da elite. Recebi a recomendação de adotar uma dicção próxima da versão autorizada. Bem longe das lembranças de minha velha babá, atualmente temos certo número de contos retirados da boca do povo que estão na forma autorizada; chegam até a ser um pouco "vulgares."

Existe um leve toque de esnobismo em fazer objeção a essa forma arcaica e chamá-la de "vulgar." Esses contos foram narrados, se não em tempos imemoráveis, pelo menos há várias gerações, em uma forma especial que inclui dialeto e palavras "vulgares." Então por que dar as costas a essa forma por outra que as crianças não entenderão com facilidade e com todo o artificialismo pseudo-elizabetano? As crianças não estão acostumadas a dizer "darter" no lugar de "daughter" só porque depararam com isso nos contos populares; mas elas reconhecem as formas incomuns e se divertem. Conservei as arcaicas que combinam bem com os contos populares.

Joseph Jacobs

Ao compilar a presente coleção, pesquisei cento e quarenta contos com os quais comecei; reservei alguns dos melhores para este livro quando estava fazendo o primeiro. Era preciso incluir nele os antigos favoritos: "Jack, o Matador de Gigantes", Dick Whittington, e o restante que em geral não é tão interessante ou tão bem narrado como os menos conhecidos enterrados em coleções folclóricas. Mas desde a publicação de *Contos de fadas ingleses* tive muita sorte em obter acesso a contos inteiramente novos e muito bem narrados, que ou foram publicados nos últimos três anos ou generosamente colocados à minha disposição por amigos folcloristas. Entre esses, os contos narrados pela senhora Balfour, que possui um conhecimento profundo da mente e do modo de falar dos camponeses, e são uma aquisição muito valiosa. Só lamento ter precisado descartar tanto do dialeto nas versões dela. Estarei eternamente em dívida com ela por ter me enviado vários contos inteiramente novos e inéditos. Em seguida vem a senhora Gomme, a quem devo muito também e que me levou à bancarrota em termos de agradecimentos. Outros amigos foram igualmente generosos, em especial o senhor Alfred Nutt, que me ajudou a adaptar algumas das versões do livro. Quanto aos Conselhos das Sociedades Americanas e Inglesas do Folclore, reitero meus agradecimentos por permitirem o uso dos materiais que apareceram primeiramente em suas publicações. Finalmente, devo me referir ao senhor Batten: o que eu e as crianças inglesas faríamos sem ele?

Joseph Jacobs

O gaiteiro de Franchville

Newtown ou Franchville, como era chamada no passado, é uma cidadezinha parada no tempo, como todos devem saber, na costa de Solent. Apesar de tranquila hoje em dia, já foi muito barulhenta, e quem fazia barulho eram os ratos. O lugar estava infestado de ratos de tal maneira que não valia a pena morar ali. Não existia celeiro, milho empilhado, armazém ou armário de cozinha onde eles não conseguissem entrar. Faziam furos nos queijos e esvaziavam barris de açúcar. Nem hidromel nem cerveja nos tonéis escapavam da fome deles. Faziam um buraco no alto do tonel, um rato enfiava o rabo comprido, e quando tirava o rabo dali ia passando para os amigos e primos, cada um chupando seu gole.

Tudo estaria bem se só estivessem procurando por comida, mas eles guinchavam, chiavam e corriam tanto que as pessoas não conseguiam ouvir o som da própria voz ou dormir à noite! Sem falar que as mamães precisavam ficar alertas e vigiar os berços dos bebês ou arriscar ver uma ratazana horrorosa correndo sobre o rosto do pobrezinho e fazendo sabe-se lá que maldades.

Ora! Será que a boa gente da cidade não tinha gatos? Sim, tinha, e a luta era grande, mas no final os ratos eram em maior número, e os bichanos sempre perdiam a briga. O que vocês disseram? Veneno? Ora, claro que envenenaram muitos ratos, mas a praga continuou.

Exterminadores de ratos?! Não havia nenhum de John O´Groats a Land´s End que não tivesse tentado a sorte. Mas fosse lá o que fizessem, gatos, veneno, cães ou ratoeiras, cada vez parecia haver mais ratos, e a cada dia um novo rato movia o rabo e erguia os bigodes.

O prefeito e o conselho da cidade já não aguentavam mais. Certo dia, quando estavam todos sentados na prefeitura tentando pensar sobre o problema e maldizendo sua sorte, quem entrou ali? O delegado.

– Por favor, honrados senhores – disse ele –, chegou à cidade um sujeito muito esquisito. Não sei bem o que fazer com ele.

– Mande-o entrar – ordenou o prefeito, e assim foi feito.

Era mesmo um sujeito esquisito. Não havia cor do arco-íris que faltasse nas suas roupas, era alto e magro com olhar penetrante.

– Sou um bom gaiteiro – começou a dizer. – Digam-me, quanto estão dispostos a me pagar para que eu os livre dos ratos em Franchville?

Bem, eles tinham muito medo dos ratos, mas não queriam gastar seu dinheiro e tentaram pechinchar. Mas o gaiteiro não era de ouvir bobagens, e no final prometeram pagar-lhe cinquenta libras (o que era muito dinheiro naquela época) assim que não houvesse mais nenhum rato guinchando ou correndo por Franchville.

O gaiteiro saiu da prefeitura e levou a gaita aos lábios, soltando um som agudo que ecoou nas ruas e casas. E a cada nota que saía da gaita, a visão era estranha. Porque de cada buraco iam saindo os ratos aos tropeções. Não havia rato velho ou jovem demais, muito alto ou muito baixo que não se aglomerasse junto ao gaiteiro, erguendo os pés e o nariz, e o seguisse pelas ruas. O gaiteiro se preocupava com os ratinhos que mal sabiam andar, por isso parava de vez em quando e fazia mais um floreio na gaita só para lhes dar tempo de acompanhar os mais velhos e mais fortes na multidão.

Subiu a Rua de Prata e desceu a Rua de Ouro, e ao final dessa rua fica o porto, com a ampla costa de Solent além. E enquanto ele caminhava devagar e com seriedade, as pessoas da cidade chegavam às portas e janelas, mandando bênçãos.

Muitos ratos se aproximavam dele. Ao chegar às margens da água, o gaiteiro entrou em um barco e, enquanto penetrava nas águas profundas sem parar de tocar a gaita, todos os ratos o seguiram, salpicando água a torto e a direito, movendo os rabos com satisfação. O gaiteiro continuava a tocar sua gaita sem parar até que a maré desceu, e cada um dos ratos foi se afundando mais e mais no lodo pegajoso do porto e por fim todos morreram sufocados.

A maré voltou a subir, o gaiteiro foi para terra firme, e nenhum rato o seguiu. Vocês podem pensar que a essa altura os moradores da cidade estavam atirando seus chapéus para o alto, gritando hurras, parando para olhar os buracos vazios dos ratos e fazendo os sinos da igreja repicar. Mas na verdade, quando o gaiteiro pisou em terra firme e já não se ouvia nenhum guincho, o prefeito, o conselho e quase todos os moradores da cidade começaram a resmungar e balançar a cabeça.

Isso porque o baú com o dinheiro da cidade infelizmente estava vazio, e de onde tirariam as cinquenta libras prometidas? Além do mais, fora um trabalho bem simples! O gaiteiro só precisara entrar em um barco e tocar sua gaita! Ora! Se alguém tivesse pensado nisso, o próprio prefeito poderia ter feito o serviço.

Então ele continuou a resmungar e por fim disse:

– Venha, meu bom homem. Percebe como somos pobres. Não podemos pagar-lhe cinquenta libras. Você pode aceitar apenas vinte? No final das contas será um bom pagamento pelo pouco trabalho que teve.

– Negociei meu trabalho por cinquenta libras – disse o gaiteiro secamente –, e se fosse você pagaria logo. Sabe que posso tocar muitos tons diferentes na gaita como muita gente descobriu a duras penas.

– Está nos ameaçando seu vagabundo? – gritou o prefeito ao mesmo tempo em que piscava um olho para o conselho. – Os ratos morreram todos afogados – continuou em voz mais baixa. – Pode nos ameaçar quanto quiser, meu bom homem. – E assim dizendo, deu-lhe as costas.

– Muito bem – disse o gaiteiro, sorrindo tranquilamente. E colocou os lábios na gaita de novo, mas dessa vez não saíram dela sons agudos como se fossem guinchos, arranhões e dentes roendo; dessa vez eram sons alegres e harmoniosos, como risadas felizes em meio a brincadeiras. E enquanto ele caminhava pelas ruas, os mais velhos debochavam, mas todas as crianças foram saindo das salas de aula, dos quartos de brinquedo, dos berçários e locais de trabalho com enorme alegria e entusiasmo, gritando e seguindo o chamado do gaiteiro.

Dançando, rindo de mãos dadas e com pés que tropeçavam, a alegre multidão subiu a Rua de Ouro e desceu a Rua de Prata, e além ficava a floresta verdejante e fresca cheia de antigos carvalhos e faias por todos os lados. Por entre os carvalhos era possível ver de relance o casaco multicolorido do gaiteiro e ouvir as risadas das crianças que iam desaparecendo aos poucos enquanto se embrenhavam na mata onde o homem estranho caminhava, e elas o seguiam.

O tempo todo os mais velhos observavam e esperavam. Agora já não zombavam. E, por mais que observassem e esperassem, nunca mais puseram os olhos no gaiteiro com seu paletó multicolorido, o coração deles não se alegrara com a canção e a dança das crianças que iam desaparecendo em meio aos velhos carvalhos da floresta para nunca mais voltar.

Daqui em diante

Era uma vez um fazendeiro chamado Jan que vivia sozinho em uma pequena fazenda.

De vez em quando, pensava em arrumar uma esposa que deixasse tudo arrumadinho para ele. Então saiu para cortejar uma boa moça e disse para ela:

– Quer se casar comigo?

– Claro que sim – respondeu a moça.

Então foram à igreja se casar. Depois do casamento, ela subiu na garupa do cavalo dele, e o fazendeiro a levou para sua casa. E viveram felizes dali em diante.

Certo dia, Jan disse para sua mulher:

– Esposa, sabe ordenhar uma vaca?

– Oh, sim, Jan. Minha mãe costumava ordenhar as vacas quando eu vivia na casa dela.

Então ele foi ao mercado e comprou dez vacas vermelhas. Tudo correu bem até que, certo dia, quando a mulher levou as vacas para beber água no lago, achou que não estavam bebendo depressa o suficiente. Então as fez entrar no meio do lago para que bebessem mais rápido e todas se afogaram.

Quando Jan voltou para casa, ela lhe contou o que fizera, e ele disse:

– Oh, bem, não tem importância, minha querida. Melhor sorte da próxima vez.

E assim continuaram por certo tempo. E então, um dia, Jan disse para a esposa:

– Mulher, sabe cuidar de porcos?

– Oh, sim, Jan, sei. Minha mãe cuidava deles quando eu morava na casa dela.

Então Jan foi ao mercado e comprou alguns porcos. Tudo correu bem até que, certo dia, quando ela pôs a comida dos porcos no cocho, achou que não estavam comendo depressa o suficiente, então enfiou a cabeça deles dentro do cocho para comerem mais ligeiro, e todos sufocaram.

Quando Jan voltou para casa, ela lhe contou o que fizera, e ele respondeu:

– Oh, bem, não tem importância, minha querida. Melhor sorte da próxima vez.

Assim continuaram por mais um tempo, até que, certo dia, Jan perguntou à esposa:

– Mulher, sabe fazer pão?

– Oh, sim, Jan, sei. Minha mãe costumava fazer pão quando eu morava com ela.

Então ele comprou tudo que a esposa precisaria para fazer pão. As coisas correram bem por certo tempo até que, um dia, ela fez pão branco para agradar Jan. Carregou o pão para o topo de uma colina alta e deixou o vento soprar sobre ele, porque pensou que os farelos indesejáveis seriam carregados, mas o vento acabou soprando os farelos e o pão também, portanto sua surpresa acabou.

Quando Jan chegou a casa, ela contou o que fizera e ele disse:

– Oh, bem, não tem importância, minha querida. Melhor sorte da próxima vez.

Assim continuaram por algum tempo, até que, certo dia, ele perguntou para a esposa:

– Mulher, sabe fazer cerveja?

– Oh, sim, Jan, sei. Minha mãe costumava fazer quando eu morava com ela.

Então ele comprou o que a esposa iria precisar para fazer cerveja. Tudo correu bem por um tempo, até que, certo dia, ela preparou a cerveja e colocou no barril, quando um grande cachorro preto chegou e ficou olhando. Ela o enxotou de casa, mas ele parou do lado de fora, sempre a olhando. A mulher ficou tão zangada que arrancou a tampa do barril e atirou no cachorro.

– Por que está me olhando? Sou a esposa de Jan.

Então o cachorro correu estrada abaixo, e a mulher correu atrás dele para espantá-lo. Quando voltou para casa, viu que a cerveja escorrera para fora do barril e não havia nem mais uma gota.

Quando Jan chegou a casa, ela lhe contou o que fizera, e ele disse:

– Oh, bem, o que se há de fazer? Minha querida, melhor sorte da próxima vez.

E assim continuaram por mais um pouco e, certo dia, ela pensou: "É hora de fazer faxina em casa." E quando arrastou a grande cama, encontrou junto à cabeceira uma sacola grande que se usa para guardar semolina. Então quando Jan chegou a casa, ela perguntou:

– Jan, para que serve aquela sacola de semolina?

– É para a vida daqui em diante, minha querida.

Acontece que um ladrão estava do lado de fora da casa junto à janela, e ouviu o que Jan dizia.

No dia seguinte, esperou até que Jan fosse ao mercado, e então bateu à porta.

– O que deseja? – perguntou Mally, a esposa.

– Sou a vida daqui em diante – respondeu o ladrão –, e vim buscar a sacola com semolina.

O ladrão estava vestido como um cavalheiro, e ela achou muito amável da parte dele vir buscar a sacola. Então subiu a escada, pegou a sacola e deu ao ladrão, que foi embora.

Quando Jan chegou em casa, ela disse:

– Jan, a vida daqui em diante veio buscar a sacola com semolina.

– O que está dizendo, mulher?

Ela contou tudo, e Jan disse:

– Então estamos arruinados, porque na verdade o que havia dentro da sacola era dinheiro para pagar nosso aluguel. Agora teremos de vasculhar o mundo de cima a baixo até encontrarmos a sacola.

Então Jan arrancou a porta de entrada da casa.

– Só teremos isto para nos deitar.

Colocou a porta nas costas, e ambos saíram para procurar pela vida daqui em diante. Caminharam muito, e toda noite Jan colocava a porta sobre os galhos de uma árvore para dormirem ali. Certa noite, chegaram a uma colina alta, e havia uma árvore enorme ao pé da colina. Então Jan colocou a porta nos galhos, os dois subiram na árvore e foram dormir. De repente, a esposa ouviu um barulho e foi olhar. Uma passagem se abrira ao lado da colina, dela saíram dois cavalheiros carregando uma longa mesa, logo atrás deles surgiram damas e outros cavalheiros elegantes, cada qual levando uma sacola. Um deles era o nosso conhecido, vida daqui em diante, com a sacola de semolina. Todos se sentaram ao redor da mesa e começaram a beber, conversar e contar todo o dinheiro que havia nas sacolas. Então a mulher acordou Jan e perguntou o que deveriam fazer.

– Chegou a nossa hora – disse Jan e empurrou a porta para fora dos galhos, que caiu no meio da mesa, assustando os ladrões, que saíram correndo. Então Jan e sua esposa desceram da árvore, pegaram todas as sacolas com dinheiro que conseguiram carregar sobre a porta e voltaram direto para casa. Depois Jan comprou mais vacas e porcos para a esposa, e viveram felizes para sempre.

A bola de ouro

Era uma vez duas moças, filhas da mesma mãe, e quando estavam voltando da feira viram um jovem bonito de pé junto à porta de casa. Nunca haviam visto um rapaz tão bonito. Sua capa era dourada, tinha anéis de ouro, colar de ouro, um relógio com corrente de ouro. Nossa! Quanto ouro!

O rapaz segurava uma bola de ouro em cada mão; deu uma para cada moça, dizendo que elas deveriam guardá-las e se as perdessem seriam enforcadas. Uma das moças, a caçula, perdeu sua bola. Vou contar como isso aconteceu.

Ela estava perto de uma cerca junto ao parque e atirava a bola para o alto, cada vez mais alto, até que a bola caiu por cima da cerca; e quando subiu na cerca para procurar, a bola correu pela grama até a porta de uma casa, rolou para dentro, e a moça nunca mais a viu.

Então a moça foi levada para ser enforcada e morrer porque perdera sua bola.

Porém, ela tinha um namorado que prometera recuperar a bola para salvá-la. Foi até a cerca, mas o parque estava fechado e ele não conseguiria passar para ir até a casa. Então subiu na sebe pensando em pular a cerca e, quando chegou ao alto, uma velha se ergueu da represa na frente dele e falou que se ele desejasse recuperar a bola deveria dormir três noites na casa ali perto. O rapaz disse que dormiria.

Ele entrou na casa e procurou pela bola, mas não conseguiu encontrá-la. A noite chegou, e ele ouviu o som de seres fantásticos se movendo do lado de fora; então olhou pela janela e viu que o quintal estava cheio deles.

Logo ouviu passos subindo as escadas. Escondeu-se atrás da porta e ficou quieto como um ratinho; a seguir, surgiu um gigante enorme, cinco vezes mais alto que o rapaz, e o gigante olhou em volta, mas não viu ninguém, então foi até a janela e se inclinou para olhar; quando se apoiou nos cotovelos para ver os fantasmas e duendes do lado de fora, o rapaz se aproximou dele por trás, e com um golpe preciso de sua espada cortou o gigante em dois, de modo que a parte de cima do corpo caiu no quintal, e a de baixo ficou de pé junto à janela.

As criaturas fantásticas gritaram muito ao ver metade do gigante caindo sobre elas e berraram:

– Essa é a metade de nosso amo, dê-nos a outra metade.

Então o rapaz respondeu:

– Não tem utilidade esse par de pernas solitárias perto da janela porque vocês não têm olhos para ver, mesmo assim vou devolver seu pedaço de irmão. – E atirou a parte de baixo do gigante pela janela também. Quando os fantasmas e duendes recuperaram o gigante inteiro, ficaram quietos.

Na noite seguinte, o rapaz estava na casa de novo. Um segundo gigante chegou à porta, e, quando entrou, o jovem o cortou em dois, porém as pernas andaram até a chaminé e subiram por ela.

– Vá, siga suas pernas – disse o rapaz para a cabeça e a atirou pela chaminé também.

Na terceira noite, foi dormir e ouviu os duendes e fantasmas se mexendo debaixo da cama; estavam com a bola de ouro que atiravam de um lado para o outro.

De repente, um deles mostrou uma perna, e o rapaz rapidamente a cortou com sua espada. A seguir outro deixou um braço à mostra do outro lado da cama, e o rapaz também o cortou. Por fim, conseguiu ferir todos eles, e todos saíram chorando e aos berros, esquecendo-se da bola. Então o rapaz a pegou sob a cama e foi procurar seu amor verdadeiro.

Enquanto isso, a moça fora levada a York para ser enforcada; subiu ao cadafalso, e o carrasco disse:

– Agora, jovem, terá que ser enforcada e morrer.

Mas ela gritou:
– Pare, pare, acho que vejo minha mãe chegando!
Oh, mãe, trouxe minha bola de ouro
E vai me salvar?

– Não trouxe sua bola de ouro
Nem vim libertar você,
Apenas ver seu enforcamento
Nessa árvore.

Então o carrasco disse:
– Agora, moça, faça suas orações porque vai morrer.

Mas a moça respondeu:
– Pare, pare, acho que vejo meu pai chegando!
Oh, pai, trouxe minha bola de ouro
E vai me salvar?

– Não trouxe sua bola de ouro
Nem vim salvar você,
Apenas ver seu enforcamento
Nessa árvore.

E o carrasco falou:
– Já fez suas orações? Agora, moça, passe a cabeça pelo laço.
Mas ela respondeu:
– Pare, pare, acho que vejo meu irmão chegando!

E cantou de novo, e depois pensou ver sua irmã chegando, depois o tio, a tia, o primo; mas ao final disso tudo o carrasco disse:

– Não vou mais esperar; está brincando comigo. Deve ser enforcada agora mesmo.

Mas então ela viu o namorado que abria caminho na multidão e que erguia por cima da cabeça a bola de ouro; a moça disse:

– Pare, pare, vejo meu namorado chegando!
Querido, trouxe minha bola de ouro
E vai me salvar?

– Sim, trouxe sua bola de ouro
Para salvar você.
Não vim assistir seu enforcamento
Nessa árvore.

E ele a salvou e a levou para casa, e viveram felizes para sempre.

Apenas eu

Em uma casinha na parte Norte do país, longe de qualquer cidade ou vilarejo, morava pouco tempo atrás uma pobre viúva com seu filho pequeno de seis anos de idade.

A casa ficava em uma colina e ao redor tudo era pântanos, pedras enormes e buracos lamacentos; nenhum sinal de outra casa ou de qualquer tipo de vida por onde quer que se olhasse, pois seus vizinhos mais próximos eram elfos e fadas que gostavam de ficar escondidos na grama alta à margem do caminho e, às vezes, havia o brilho rápido de fogos-fátuos.

A viúva poderia contar muitas histórias sobre esses seres mágicos que se visitavam uns aos outros nos carvalhos, e sobre as luzes que piscavam e pulavam até o parapeito da janela nas noites escuras; mas isso não a afastava da solidão e ela ia vivendo ano a ano na casinha, talvez porque não tivesse que pagar aluguel ali.

Não gostava de ficar sentada até altas horas, pois ninguém sabia o que se passava do lado de fora; então, depois que ela e o filho jantavam, fazia um bom fogo na lareira e ia para a cama, de modo que se alguma coisa apavorante acontecesse de verdade, ela poderia enfiar a cabeça debaixo das cobertas.

Porém, seu filhinho não gostava de dormir muito cedo; então, quando a mãe o chamava para a cama, ele continuava brincando junto ao fogo, fingindo que não a ouvira.

Ele sempre fora um menino difícil desde que nascera, e a mãe se preocupava em não o aborrecer; aliás, quanto mais tentava fazer o filho obedecer, menos ele se importava com o que ela dizia. Então normalmente a criança fazia o que queria.

Mas certa noite, no início do inverno, a viúva não quis ir para a cama e deixar o filho brincando junto ao fogo porque o vento forte sacudia a porta e as vidraças, e ela bem sabia que em noites assim as fadas e outros seres mágicos deviam estar do lado de fora da casa, prontos para fazer travessuras. Então ela tentou convencer o menino a ir também para a cama:

– A cama é o melhor lugar para ficar em uma noite como esta! – explicou ela, mas o menino nem a ouviu.

A mãe ameaçou dar-lhe uma surra usando uma vara, mas não adiantou.

Quanto mais ela suplicava e ralhava, mais ele balançava a cabeça com teimosia; e quando por fim ela perdeu a paciência e gritou que sem dúvida as fadas viriam pegá-lo, ele apenas riu e respondeu que bem que gostaria disso, porque queria companhia para brincar.

Então a mãe começou a chorar e foi para a cama desesperada, certa de que, depois dessas palavras, algo horrível poderia acontecer. Enquanto isso, o filho desobediente continuava sentado no banquinho junto ao fogo, pouco ligando para o choro da mãe.

Mas não fazia muito tempo que estava ali sozinho quando ouviu um som vibrante perto na chaminé, e logo caiu ao seu lado a menor garotinha que se possa imaginar; não tinha nem um palmo de altura, e seus cabelos pareciam de prata trançada, os olhos eram verdes como a grama, e as faces vermelhas como as rosas de junho. O garotinho a fitou surpreso.

– Oh! – exclamou. – Como você se chama?

– Apenas eu – ela respondeu com voz fina, mas doce, e também olhou para o menino. – E como é o seu nome?

– Apenas eu também! – ele respondeu com cuidado; e então começaram a brincar juntos.

Ela conhecia brincadeiras ótimas; construiu animais com as cinzas da lareira que pareciam se mover como se fossem vivos; e árvores com ramagens que oscilavam sobre casas minúsculas habitadas por homens e mulheres com uma polegada de altura e que, quando a fadinha soprou sobre eles, começaram a andar e falar como qualquer pessoa.

Mas o fogo estava morrendo, e a luz ia ficando fraca, e por fim quando o garoto remexeu nas brasas com uma vara para reavivar o fogo, dali pulou uma cinza escaldante que caiu justamente sobre o pezinho da fada.

Ela então soltou um grito tão agudo que o menino deixou cair a vara e tampou os ouvidos com as mãos, mas o grito era tão estridente que parecia todo o vento do mundo assobiando por uma pequena fechadura.

De novo ouviu-se um barulho na chaminé, mas dessa vez o garotinho não esperou para ver o que era, porque correu para a cama onde ficou debaixo das cobertas, trêmulo e atento.

Uma voz soou na chaminé, falando com rudeza:

– Quem está aí e qual o problema?

– Apenas eu – choramingou a fadinha. – Queimei meu pé e dói muito. Oh, oh!

– Quem fez isso? – perguntou a voz em tom zangado e parecendo mais próxima.

O menino deu uma espiada pelas cobertas e pôde ver um rosto muito branco que aparecia da abertura da chaminé.

– Apenas eu também! – contou a fadinha.

– Se foi você mesma quem fez isso – gritou o rosto branco com voz aguda –, por que tanto escândalo?

Assim dizendo, estendeu um longo braço magro, pegou a criaturinha pela orelha e, sacudindo com brutalidade, puxou-a para dentro da chaminé, desaparecendo com ela.

O garotinho ficou acordado por muito tempo, alerta, para o caso de a mãe da fadinha voltar; e na noite seguinte depois do jantar, a viúva ficou surpresa ao ouvir que ele queria ir dormir assim que ela também fosse.

"Acho que vai ser obediente agora!", disse para si mesma; mas o que o garotinho estava pensando nesse momento era que se outra fada viesse brincar outra vez, ele não faria amizade com tanta facilidade.

O touro negro da Noruega

Há muito tempo na Noruega, morava certa dama que tinha três filhas. A mais velha disse para a mãe:

– Mãe, faça um pão de aveia para mim e frite fatias de carne porque vou partir em busca de fortuna.

A mãe fez o que ela pediu, e a filha foi procurar uma velha bruxa lavadeira e contou seu plano. A velha pediu que a moça ficasse naquele dia, e olhasse pela porta dos fundos para saber se via alguma coisa. Nada viu no primeiro dia. No segundo dia fez o mesmo, e nada viu.

No terceiro dia, olhou de novo e viu uma carruagem puxada por seis cavalos que se aproximava pela estrada. A moça entrou correndo em casa e contou à velha o que vira.

– Bem – disse a bruxa –, esta carruagem é para você.

Então a moça entrou na carruagem e galopou para longe.

No dia seguinte, a segunda filha disse à mãe:

– Mãe, prepare um pão de aveia e frite fatias de carne porque vou em busca de fortuna.

A mãe atendeu o pedido, e lá foi a moça procurar a velha como fizera sua irmã. No terceiro dia, olhou pela porta dos fundos e viu se aproximando na estrada uma carruagem puxada por quatro cavalos.

– Bem – disse a velha –, esta carruagem é para você.

Então a moça entrou na carruagem e partiu.

A terceira filha disse para a mãe:

– Mãe, faça um pão de aveia e frite fatias de carne para mim porque vou partir em busca de fortuna.

A mãe fez, e lá foi a moça falar com a velha bruxa que a fez olhar pela porta dos fundos da casa e descobrir se via alguma coisa. A moça voltou para dentro e disse que nada vira. No segundo dia, fez o mesmo e nada viu, no terceiro dia olhou de novo, e ao voltar informou para a velha que só vira um grande Touro Negro vindo pela estrada a cantarolar.

– Bem – disse a velha bruxa –, este touro é para você.

Ouvindo isso, a moça ficou apavorada, mas subitamente foi erguida sobre o touro, e lá foram eles.

Viajaram e viajaram, até que a dama ficou fraca de fome.

– Coma da minha orelha direita – disse o Touro Negro – e beba da minha orelha esquerda, e ficará forte para partirmos.

Ela obedeceu e se sentiu muito melhor. E lá foram eles e viajaram muito, até avistarem um castelo muito grande e bonito.

– Para lá iremos esta noite – disse o touro –, porque meu irmão mais velho mora ali.

E logo chegaram ao castelo. Os criados a fizeram descer do touro e a levaram para dentro, mandando que ele fosse dormir em um parque naquela noite. Pela manhã, quando trouxeram o touro, levaram a dama até uma sala de estar cintilante e lhe deram uma linda maçã, recomendando que ela não a mordesse a não ser que estivesse na maior dificuldade possível para um mortal, porque a maçã a salvaria do apuro. De novo a puseram sobre o touro, e eles viajaram tanto que nem sabemos quantos dias se passaram até que avistaram um castelo ainda mais bonito e maior que o primeiro.

O touro disse:

– Meu segundo irmão vive ali, e lá ficaremos esta noite.

Ao chegarem ao castelo, a moça foi retirada das costas do touro, que foi enviado para o campo naquela noite. Pela manhã, levaram a dama até uma linda e elegante sala e lhe deram a mais suculenta pera que já vira, avisando que ela não a mordesse a não ser que estivesse em grande perigo, e a pera então a salvaria. De novo foi erguida até as costas do touro, e lá foram eles.

E viajaram, viajaram até que chegaram perto de um castelo ainda maior e muito mais distante.

– Vamos passar a noite ali – disse o touro – porque meu irmão caçula está lá.

Ao chegar, a moça foi retirada das costas do touro, e ele foi enviado para dormir no campo. Pela manhã, levaram-na até uma sala mais bonita do que todas as outras, e lhe deram uma ameixa, avisando que não a mordesse até estar em perigo mortal, porque então a ameixa a salvaria. A seguir, trouxeram o touro, colocaram a moça em suas costas, e lá foram eles. E viajaram, viajaram, até que alcançaram um vale sombrio e feio onde pararam, e a moça apeou. Disse o touro para ela:

– Você deverá ficar aqui enquanto vou lutar com o Velho. Deve sentar sobre aquela pedra e não mover nem os pés nem as mãos até eu voltar, do contrário nunca mais a encontrarei, e se tudo ao seu redor ficar azul, significará que derrotei o Velho; mas se tudo ficar vermelho, quer dizer que ele me venceu.

Ela se sentou na pedra, e aos poucos tudo em volta foi ficando azul. Cheia de alegria, ela ergueu um dos pés e o cruzou sobre o outro, feliz da vida porque seu companheiro saíra vitorioso. O touro voltou e a procurou, mas não conseguiu encontrá-la.

A moça ficou sentada por muito tempo, chorando, até que se cansou. Por fim, levantou-se da pedra e partiu sem saber para onde ir. Vagou até alcançar uma grande colina de vidro que tentou escalar, mas não conseguiu. Deu a volta na colina, soluçando e procurando por uma passagem, até que avistou a casa de um ferreiro; e ao chegar lá, o ferreiro prometeu que, se ela o servisse por sete anos, faria um par de sapatos de ferro para ela poder subir a colina de vidro.

Quando os sete anos terminaram, a moça calçou seus sapatos de ferro, subiu a colina de vidro e por sorte retornou para a casa da velha lavadeira. Ali soube de um jovem e belo cavaleiro que dera algumas roupas manchadas de sangue para lavar, e quem as lavasse seria sua esposa. A velha lavadeira tentara lavar as roupas até se cansar, e depois pusera a sua filha para lavar, e as duas haviam lavado, e lavado, e lavado, na esperança de conquistar o jovem cavaleiro, mas não conseguiram tirar as manchas.

Por fim, deixaram a nossa jovem lavar as roupas, e assim que ela começou, as manchas desapareceram. A velha fez o cavaleiro pensar que fora sua filha quem lavara as roupas. O rapaz e a filha mais velha da lavadeira iriam se casar em poucos dias, e a nossa jovem ficou desesperada porque estava muito apaixonada por ele.

Então se lembrou da maçã, deu uma mordida e viu que estava recheada de ouro e joias preciosas, as mais valiosas que já vira.

– Tudo isso – disse para a filha mais velha da lavadeira – darei para você contanto que adie o casamento por um dia e me deixe entrar no quarto do cavaleiro sozinha à noite.

A outra consentiu, porém quando a velha soube do trato, preparou uma bebida que deu para o cavaleiro beber, e ele só acordou na manhã seguinte. Por toda a noite a nossa moça soluçou e cantou:

> *Por sete longos anos servi por você,*
> *Subi a colina de vidro por você,*
> *Lavei as roupas com sangue por você;*
> *E você não vai acordar e me ver?*

No dia seguinte, não sabia o que fazer de tanta tristeza. Então mordeu a pera e viu que estava cheia de joias mais deslumbrantes do que as que encontrara na maçã. Com essas joias, subornou outra vez a filha da lavadeira para passar uma segunda noite no quarto do cavaleiro; mas a velha deu ao jovem outro sonífero, e de novo ele dormiu até o amanhecer. Durante toda a noite a moça suspirou e cantou como antes:

> *Por sete longos anos servi por você,*
> *Subi a colina de vidro por você,*
> *Lavei as roupas com sangue por você;*
> *E você não vai acordar e me ver?*

O rapaz continuou dormindo, e ela quase perdeu as esperanças para sempre. Mas no outro dia, quando ele saiu para caçar, alguém lhe perguntou que barulho e gemidos eram aqueles no seu quarto na noite anterior. O rapaz respondeu:

– Não ouvi nada.

Mas lhe garantiram que haviam ouvido rumores, e o rapaz resolveu ficar acordado à noite para ouvir também. Nessa terceira noite, a dama, entre esperançosa e desesperada, mordeu a ameixa, e lá encontrou as joias mais deslumbrantes de todas. Barganhou de novo com a filha da lavadeira, e, como antes, a velha levou o sonífero para o quarto do cavaleiro, porém ele lhe disse que não tomaria se a bebida não estivesse adoçada. E quando a velha saiu para colocar mel no copo, ele derramou o líquido e fez a velha acreditar que bebera assim mesmo.

Todos foram dormir, e, como das outras vezes, a donzela cantou:

> *Por sete longos anos servi por você,*
> *Subi a colina de vidro por você,*
> *Lavei as roupas com sangue por você;*
> *E você não vai acordar e me ver?*

Dessa vez, o rapaz ouviu e virou-se para ela. A jovem contou-lhe todas as suas peripécias, e ele contou a ela as dele. Depois ordenou que queimassem na fogueira a lavadeira e sua filha. E os dois se casaram e viveram felizes até hoje, pelo que me disseram.

Amarelo-marrom

Era uma vez, em uma época muito boa, embora não seja a minha nem a sua nem a de ninguém mais, um jovem de cerca de 18 anos chamado Tom Tiver que trabalhava na Fazenda Hall.

Um domingo, ele estava caminhando pelo campo oeste em uma bela noite de julho, quente e tranquila, e o ar trazia sons leves como se as árvores e a grama conversassem entre si. Mas de repente o rapaz ouviu à frente uns lamentos muito sentidos, soluços como os de uma criança cheia de medo e sofrimento; os soluços viravam gemidos, e o rapaz sentiu-se profundamente triste. Começou a olhar para todos os cantos em busca da pobre criatura.

"Deve ser o filho de Sally Bratton", pensou. "Sally sempre foi leviana e não toma conta direito da criança. Deve estar por aí e se esqueceu completamente do bebê."

Entretanto, por mais que procurasse, não encontrou nada. Logo o choro se tornou mais alto e forte em meio à quietude da noite, e ele distinguiu algumas palavras. Tentou ouvir direito porque a criatura sofredora dizia palavras misturadas com os soluços:

– Ooh! A pedra, a grande pedra! Ooh! As pedras no alto!

É claro que ele se perguntou onde estaria a tal pedra e olhou de novo, e lá, na base de uma cerca-viva, viu uma grande pedra achatada, meio enterrada no solo fofo e escondida entre a grama e as ervas daninhas. Era a "Mesa dos Estranhos". O rapaz caiu de joelhos junto a ela e tentou escutar com atenção. A vozinha chorosa se fez ouvir mais clara do que antes, porém cansada e cheia de gratidão.

– Ooh! Ooh! A pedra, a pedra para cima.

O rapaz não queria se meter em confusão, mas não suportava ouvir o bebê chorando, então empurrou a pedra como um louco até que sentiu que ela se erguia do solo lamacento e saiu inteira da terra úmida, da grama e das ervas daninhas, e, no buraco que apareceu, havia uma criaturinha deitada de costas, piscando para a lua e para o rapaz. Não era maior do que um bebê, mas tinha cabelos longos e penteados, que eram amarelos, brilhantes e sedosos como os de uma criança, e uma barba tão retorcida em volta do seu corpo que não se podia ver suas roupas; e seu rosto era de um velho de mais de cem anos que há muito tempo deixara de ser jovial. Tinha algumas rugas e um par de olhos negros e reluzentes sob os cabelos amarelos brilhantes; sua pele era da cor da terra fresca na primavera: marrom, muito marrom, com mãos e pés do mesmo tom. Ele parara de se lamentar, mas as lágrimas escorriam pelas faces, e a criaturinha parecia confusa sob o luar e o ar da noite.

Por fim, seus olhos se acostumaram com o brilho da lua e fitou o rosto de Tom com ousadia.

– Tom – disse com a maior calma –, você é um bom rapaz! Você é um bom rapaz! – E sua voz suave e fina parecia a de um passarinho trinando.

Tom tocou a aba do chapéu pensando no que poderia dizer.

– Oh! – exclamou a criatura de novo. – Não precisa ter medo de mim. Acabou de me fazer um bem que nem imagina, meu rapaz, e eu vou retribuir.

Tom ainda não conseguia falar, mas pensou: "Céus! Sem dúvida é um bicho-papão!"

– Não! – respondeu a criatura, como se ouvisse seus pensamentos. – Não sou nenhum bicho-papão, mas é melhor não perguntar quem sou; de qualquer modo, serei um bom amigo para você.

Os joelhos de Tom tremeram, porque ninguém normal poderia saber o que ele estava pensando, mas a criatura parecia tão boa e falava tão mansamente que ele tomou coragem para perguntar com timidez:

– Poderia saber o seu nome?

– Humm – resmungou o ser estranho, puxando a barba –, quanto a isso... – pensou um pouco – então... pode me chamar de Amarelo--marrom. Como pode ver, tenho cabelos amarelos e pele marrom e esse nome me serve muito bem. Amarelo-marrom, Tom, Amarelo-marrom é o nome deste seu amigo, meu rapaz.

– Obrigado, senhor – murmurou Tom com humildade.

– Estou com pressa esta noite, mas me diga logo o que posso fazer por você. Quer uma esposa? Posso lhe conseguir a melhor moça da cidade. Quer ser rico? Eu lhe darei tanto ouro quanto possa carregar. Ou quer ajuda no trabalho? Basta me dizer.

Tom coçou a cabeça enquanto pensava na oferta.

– Bem, quanto a uma esposa, não estou pensando nisso; as moças são chatas, e existem mulheres na minha casa para costurar minhas roupas. Quanto ao ouro, pode ser, sempre é bom. Mas o trabalho... não suporto trabalhar, e se puder me ajudar...

– Pode parar! – interrompeu a criatura, rápida como um raio. – Vou ajudar, mas nunca me agradeça senão nunca mais me verá. Lembre-se disso; não quero agradecimentos. – E bateu com o pezinho na terra, parecendo mau como um touro furioso.

Tom mostrou-se assustado, mas a criatura prosseguiu:

– Lembre-se disso, seu grande idiota – disse com mais calma –, e sempre que precisar de ajuda ou se estiver metido em confusão, bastará me chamar e dizer: "Amarelo-marrom, venha do solo lamacento, preciso de ajuda!" e estarei com você na mesma hora – explicou, pegando um dente-de-leão na terra fofa. – Boa noite! – Assoprou sobre o dente-de-leão, e os olhos e ouvidos de Tom se encheram de pó.

Quando Tom conseguiu enxergar de novo, a criaturinha tinha desaparecido, e se não fosse pela pedra a um canto e o buraco no solo aos seus pés, pensaria que tudo não passara de um sonho.

Bem, Tom foi para casa cansado, logo dormiu, e pela manhã já tinha esquecido o que acontecera. Mas quando chegou ao trabalho, não havia nada para fazer! Tudo já fora feito, os cavalos tinham sido cuidados, os estábulos estavam limpos, tudo no seu devido lugar, e ele nada tinha para fazer a não ser sentar com as mãos nos bolsos. E assim foi dia após dia; Amarelo-marrom fazia todo o serviço e muito melhor do que Tom.

E se o patrão lhe dava mais trabalho, Tom se sentava, e o trabalho se fazia sozinho. Malhar o ferro, usar a vassoura ou fosse lá o que fosse, tudo era feito sem perda de tempo e sem que Tom precisasse mexer um dedo. Mas ele nunca via Amarelo-marrom durante o dia; só à noite vislumbrava a criatura pulando pelo gramado como um saci sem lanterna.

De início, Tom ficou muito satisfeito, pois recebia um bom pagamento para não fazer nada; mas com o tempo as coisas começaram a mudar. Porque se o trabalho era feito para Tom, era desfeito para os outros rapazes da fazenda. Se os baldes dele estavam cheios, os dos outros estavam vazios; se suas ferramentas estavam afiadas, as dos outros estavam cegas e enferrujadas; se os seus cavalos estavam limpos e felizes, os dos outros estavam sujos de lama, e assim por diante. Dia após dia era a mesma coisa. E os outros rapazes viam Amarelo-marrom circulando à noite, e viam o trabalho de Tom executado sem que ele nada fizesse, enquanto seus colegas tinham seu trabalho sabotado. É claro que começaram a olhar feio para Tom; não falavam com ele nem se aproximavam, e se queixavam para o patrão, de modo que as coisas iam de mal a pior.

Mas Tom não conseguia fazer nada por contra própria; as vassouras escapavam de suas mãos, o arado fugia dele, a enxada deslizava para longe. Então refletiu que deveria fazer seu trabalho e que Amarelo-marrom o deixasse em paz com seus colegas. Não conseguiu mudar a situação de jeito nenhum. Só conseguia ficar sentado e aguentava a frieza dos companheiros, enquanto a criatura sobrenatural se metia com os outros e trabalhava para ele.

Por fim, a situação ficou tão ruim que o patrão demitiu Tom, e se isso não houvesse acontecido, seus colegas se encarregariam de fazê-lo partir, porque já haviam jurado não ficar no mesmo lugar com ele. Bem, é claro que Tom se sentiu muito mal; o local de trabalho era bom, o pagamento também. Ficou uma fera com Amarelo-marrom, que o pusera naquela encrenca. Então sacudiu o punho fechado no ar e gritou o mais alto que pôde:

– Amarelo-marrom, venha do lodaçal! Seu malandro, quero você aqui!

Vocês não vão acreditar, mas assim que gritou isso, Tom sentiu um cutucão na perna por detrás e deu um pulo; quando olhou para baixo, viu a criatura pequena com seus cabelos brilhantes, rosto enrugado, olhos negros, maldosos e reluzentes.

Tom estava furioso, gostaria de chutar a criatura, mas não valia a pena; sua bota era maior do que Amarelo-marrom e não haveria muito o que chutar, então disse:

– Escute aqui, meu senhor, obrigado pelo que fez, mas agora agradeceria se me deixasse em paz, está me ouvindo? Não quero saber da sua ajuda nem desejo vê-lo mais.

A criatura horrorosa soltou uma risada estridente e apontou o dedo marrom para Tom.

– Ho, ho, Tom! Você me agradeceu, rapaz, e eu disse para não fazer isso, não foi?

– Não quero sua ajuda, é o que posso dizer! – gritou Tom. – O que desejo é nunca mais encontrá-lo e não ter nada a ver com você.

A criatura riu, guinchou e zombou todo o tempo em que Tom esbravejou, mas assim que o rapaz perdeu o fôlego, a criatura falou:

– Tom, meu caro – disse com um sorriso –, vou lhe dizer uma coisa. Nunca mais irei ajudá-lo e nunca mais me verá depois de hoje se é o que deseja. Mas eu jamais disse que iria deixá-lo em paz e não vou deixar, Tom. Estava bem e seguro debaixo da pedra e não poderia fazer mal a ninguém; mas você me libertou, e não pode me prender ali de novo! Teria sido seu amigo e trabalhado para você se você tivesse sido esperto, mas, já que não passa de um idiota completo, vou tratá-lo como tal. E quando tudo parecer ir para atrás e der errado, vai saber que sou eu, Amarelo-marrom, colocando o dedo nessa história, embora não me veja. Entendeu bem?

E começou a cantar e dançar em volta de Tom como um bebê com seus cabelos amarelos, porém parecendo mais velho que antes, com o rosto enrugado e sorridente:

> *Por mais que trabalhe*
> *Nunca se sairá bem;*
> *Por mais que trabalhe*
> *Nunca vencerá*
> *O mal e o azar vieram com Amarelo-marrom*
> *Que você tirou de debaixo da pedra.*

Tom nunca se lembrou do que lhe disse depois disso, porque só sentia a má sorte pairando sobre sua cabeça; e estava com tanto medo que apenas conseguiu ficar ali parado, tremendo da cabeça aos pés, e olhando para a coisa horrorosa; e se Amarelo-marrom tivesse continuado, ele cairia no chão atordoado e sem sentidos.

Mas os cabelos amarelos se ergueram no ar e se enrolaram na criatura até que logo ela se parecia com uma grande flor boca-de-leão que flutuou para longe com o vento por cima do muro, e desapareceu com uma risada maldosa de despedida.

E vocês perguntarão: a profecia se realizou? Sim! Com certeza!

Tom trabalhou aqui e ali, se dedicou a isso e aquilo, mas tudo dava errado e claro que era por culpa de Amarelo-marrom. As crianças morriam, as colheitas apodreciam, os animais não engordavam e nada dava certo para ele. E até o dia de sua morte o ressentimento de Amarelo-marrom continuou. Dia sim, dia não Tom costumava ouvi-lo dizer:

> *Por mais que trabalhe*
> *Nunca se sairá bem;*
> *Por mais que trabalhe*
> *Nunca vencerá*
> *O mal e o azar vieram com Amarelo-marrom*
> *Que você tirou de debaixo da pedra.*

As três penas

Era uma vez uma moça casada com um homem que nunca via. Acontece que o marido só aparecia à noite e não permitia nenhuma luz dentro de casa. A moça achava isso engraçado, mas todas as suas amigas diziam que devia haver algo errado com o marido, uma horrível deformidade física que o fazia se esconder.

Certa noite, quando ele voltou para casa, ela acendeu uma vela de repente e o viu.

Era tão bonito que todas as mulheres no mundo poderiam se apaixonar por ele. Porém, assim que a moça o viu, ele começou a se transformar em um pássaro e disse:

– É a primeira e última vez que me verá, a menos que esteja disposta a me esperar por sete anos e um dia e só assim me tornarei humano de novo.

Depois pediu que ela pegasse três penas debaixo de sua asa, pois teria tudo que desejasse com elas. E ele a deixou em uma mansão onde seria lavadeira por sete anos e um dia.

A moça costumava segurar as penas e dizer:

– Pelo poder das minhas três penas, que o ferro de passar seja polido, e as roupas sejam lavadas, torcidas, dobradas e guardadas ao gosto da senhora da casa.

Depois disso, não tinha com que se preocupar. As penas faziam o resto, e a dama da mansão dava muito valor para a moça, pois nunca tivera uma lavadeira tão boa. Um dia, o mordomo da casa, que tinha pretensões de casar com a linda lavadeira, disse para ela que teria proposto o casamento antes, mas se calara por medo de aborrecê-la.

– Por que me aborreceria se sou uma criada, sua colega? – perguntou a moça.

Então o mordomo se sentiu mais à vontade para falar e explicou que tinha a receber setenta libras do patrão e perguntou se ela o aceitava como marido.

A moça pediu que fosse pegar o dinheiro para ela, e o mordomo obedeceu e lhe entregou tudo. Mas quando subiam as escadas, ela gritou:

– Oh, John, preciso voltar! Tenho certeza de que deixei as venezianas abertas e vão bater com o vento e fazer barulho a noite inteira.

O mordomo respondeu:

– Não se preocupe, vou dar um jeito. – E correu de volta, enquanto ela pegava suas penas e dizia:

– Pelo poder de minhas três penas, desejo que as venezianas batam e façam barulho até de manhã, e que John não consiga fechá-las nem tirar as mãos delas.

Dito e feito. Por mais que tentasse, o mordomo não conseguiu impedir que as venezianas se abrissem sempre que tentava fechá-las, nem conseguiu largá-las até de manhã. E ficou muito zangado, mas não ousou contar isso para ninguém com medo de que rissem dele.

Pouco tempo depois, o cocheiro da casa começou a reparar na lavadeira e propôs casamento, dizendo que tinha quarenta libras para receber do patrão e que daria para ela se o aceitasse.

Depois que a lavadeira guardou o dinheiro no avental e enquanto caminhavam alegremente, ela parou e exclamou:

– Deixei as roupas do lado de fora! Preciso correr para guardar dentro de casa.

William, o cocheiro, falou:

– Espere por mim enquanto vou buscar a roupa; a noite está fria e você poderá pegar uma pneumonia e morrer.

E a esperou e segurou suas penas, dizendo:

– Pelo poder de minhas três penas, desejo que as roupas dancem ao vento até amanhã de manhã, e que William não possa tirar as mãos delas nem as recolher.

Depois foi para a cama e dormiu tranquila a noite toda.

O cocheiro não quis ser motivo de riso para ninguém e nada contou sobre as roupas.

Logo depois disso, o lacaio procurou a moça e disse:

– Trabalho para o patrão há anos e economizei bastante; você está aqui há três anos e também deve ter economizado. Vamos viver juntos e ter nosso lar, ou podemos continuar trabalhando aqui se preferir.

A moça fez com que o lacaio lhe trouxesse suas economias como fizera com os outros, e então fingiu se sentir fraca e disse:

– James, sinto-me tão esquisita. Seja um cavalheiro, vá até a adega e me traga um pouco de conhaque.

Mal o rapaz saíra, ela disse:

– Pelo poder de minhas três penas, desejo que o conhaque se espalhe e James não consiga encher o copo nem afastar as mãos da garrafa até amanhã pela manhã.

E assim aconteceu. Por mais que tentasse, James não conseguiu encher o copo, e a bebida jorrava e se espalhava. E para o cúmulo do azar, o patrão veio saber que barulho era aquele na adega!

Então James disse que não entendia, mas não conseguia pegar o conhaque que a lavadeira lhe pedira; sua mão tremia e deixava espirrar todo o líquido e ele não podia se livrar da garrafa.

James ficou em uma enorme enrascada, e o patrão foi falar com a esposa:

– Todos os empregados da casa estavam bem antes da lavadeira chegar. Alguma coisa está acontecendo. Todos eles pediram seu pagamento antecipado, e mesmo assim não vão embora. O que pode ser isso?

A esposa não soube responder, mas disse que não ouviria uma só palavra contra a lavadeira, pois era a melhor empregada que já tivera e valia mais que todos os outros juntos.

A situação continuou sem mudanças até que certo dia, quando a moça, parada à porta do salão, ouviu o cocheiro dizer para o lacaio:

– Sabe o que a lavadeira fez comigo, James?

E William contou sobre as roupas. Então o mordomo comentou:

– Isso não é nada perto do que ela fez comigo. – E contou sobre as venezianas que bateram durante a noite toda.

Nesse exato momento, o patrão vinha passando pelo salão, e a moça pediu:

– Pelo poder de minhas três penas, desejo que patrão e empregados discutam e briguem, e caiam todos no lago.

E assim aconteceu; os empregados começaram a discutir sobre quem sofrera mais nas mãos dela. Quando o patrão quis intervir ninguém o ouviu e começaram a dar socos a torto e a direito. Quando deram por si, um tinha jogado o outro no lago.

Quando a moça achou que já era suficiente, retirou o feitiço, e o patrão lhe perguntou o que ocasionara a briga porque não conseguira ouvir nada em meio à confusão.

A moça respondeu:

– Eles estavam prontos a atirar sua raiva em cima de qualquer um; teriam me surrado se o senhor não tivesse chegado.

Então o patrão não puniu ninguém daquela vez, e, graças às suas penas, ela foi a melhor lavadeira de todos os tempos. Mas para encurtar a história, quando os sete anos e um dia chegaram ao fim, o pássaro-marido que sabia o que ela fizera o tempo todo, veio procurá-la, já na sua forma humana, e disse que seus dias de criada haviam terminado, e agora ela teria seus próprios criados. Nada falou sobre as três penas.

– Você aprontou uma cilada para aqueles homens, mas agora terá muito dinheiro, portanto devolva o que tirou deles.

Ela obedeceu, e os dois partiram para seu castelo onde viveram felizes para sempre.

Sir Gammer Vans

No último domingo de manhã, às seis horas da tarde, eu estava velejando no alto das montanhas em meu barquinho quando encontrei dois homens montados em uma égua. Perguntei se poderiam me dizer se a velhinha que fora enforcada no sábado por ter se afogado em um monte de penas já morrera.

Disseram que não sabiam me informar, mas sir Gammer Vans saberia me dizer.

– E como vou reconhecer sua casa? – perguntei.

– Oh, muito fácil – disseram eles –, porque é uma casa de tijolos toda feita de pedras que se ergue, solitária, no meio de mais sessenta ou setenta iguais a ela.

– Oh, nada mais fácil – respondi.

– Sim, nada pode ser mais fácil – eles replicaram.

Então segui meu caminho.

Acontece que esse tal de sir Gammer Vans era um gigante fabricante de garrafas. E como todos os gigantes que são fabricantes de garrafas em geral costumam saltar de uma garrafinha do tamanho de um dedo polegar por detrás da porta, sir G. Vans fez o mesmo.

– Como vai? – ele saudou.

– Muito bem, obrigado – respondi.

– Quer tomar o café da manhã comigo?

– Com muito prazer – disse eu.

Então ele me deu um pedaço de cerveja e uma caneca de carne de vitela fria, e havia um cachorrinho debaixo da mesa que pegava todas as migalhas.

– Enforque o cachorro – pedi.

– Não – ele respondeu –, porque ele matou uma lebre ontem. E se não acredita, vou lhe mostrar a lebre viva em uma cesta.

Então me levou ao jardim para me mostrar suas curiosidades. A um canto havia uma raposa chocando ovos de águia; em outro havia uma macieira de ferro totalmente coberta de peras e chumbo; no terceiro canto estava a lebre que o cachorro matara no dia anterior, bem viva na cesta; e no quarto canto havia vinte e quatro comutadores que debulhavam tabaco automaticamente, e que ao me verem debulharam com tanta força que a tomada furou a parede e um cachorrinho que passava do outro lado. Ouvindo o cão gemer, pulei a parede e o virei do avesso o melhor possível; então ele saiu correndo como se não tivesse mais nem uma hora para viver.

Depois sir G. Vans me levou ao parque para me mostrar seu cervo; lembrei-me que trazia no bolso uma permissão por escrito para atirar em animais de caça para o jantar de Sua Majestade. Então posicionei minha flecha e soltei um tiro com meu arco. Quebrei dezessete costelas de um lado e vinte e uma e meia do outro, mas minha flecha passou pelo cervo sem o tocar, e o pior foi que a perdi. Entretanto, recuperei-a no buraco de uma árvore. Tateei; estava pegajosa. Cheirei; parecia mel.

– Oh – exclamei –, aqui temos uma colmeia! – E do buraco saiu um bando de perdizes.

Atirei nelas; dizem que matei dezoito, mas tenho certeza de que foram trinta e seis, além de matar um salmão que voava sobre a ponte, e com o qual fiz a melhor torta de maçãs que já provei.

Tom Hickathrift

Antes dos dias de William, o Conquistador, morava nos pântanos da Ilha de Ely um homem chamado Thomas Hickathrift, um pobre lavrador, mas tão forte que podia fazer o trabalho de dois dias em um só. Seu filho único tinha seu nome, Thomas Hickathrift, e ele o fazia estudar muito, mas o pobre rapaz não era dos mais inteligentes, e era até um pouco molenga, então não aproveitava muito os estudos.

O pai de Tom morreu, e a mãe, que o amava muito, cuidava dele como podia. O sujeitinho preguiçoso nada fazia além de sentar no canto da lareira e comer como quatro ou cinco homens. E cresceu tanto que, aos 10 anos de idade, já tinha quase dois metros e meio de altura, e sua mão parecia uma paleta de cordeiro.

Certo dia, a mãe foi até a casa de um rico fazendeiro pedir um fardo de palha para ela e Tom.

– Pegue quanto quiser – disse o fazendeiro, um homem caridoso de verdade.

Quando ela chegou à casa, pediu que Tom fosse buscar a palha, mas ele se negou. Ela implorou e só depois de muitos pedidos ele resolveu ir e levou consigo uma corda forte. Então lá foi ele, e quando chegou à casa do fazendeiro, patrão e empregados estavam atarefados no celeiro.

– Vim buscar a palha – disse Tom.

– Pegue quanto puder carregar – respondeu o fazendeiro.

Tom ajeitou sua corda e começou a fazer um fardo.

– Sua corda é muito curta – disse o fazendeiro em tom de riso, mas no final foi Tom quem riu, pois quando terminou de preparar a carga havia uma verdadeira montanha de palha, e, embora dissessem que ele era um idiota por imaginar que poderia carregar aquele peso, ele passou o fardo por cima dos ombros como se fosse uma pluma, para grande admiração do patrão e dos empregados.

E quando a força física de Tom ficou famosa, ele não conseguiu mais ficar descansando junto à lareira; todos o contratavam para trabalhar, dizendo que era uma vergonha passar a vida na preguiça. Tom, percebendo como disputavam seu trabalho, ia se empregar com um e com outro. Certo dia, um lenhador desejou seus serviços para trazer uma árvore para casa. Lá foi Tom com mais quatro homens e, quando chegaram até a árvore, começaram a puxá-la com roldanas. Por fim, quando Tom percebeu que não conseguiriam levantá-la dali, disse:

– Afastem-se, seus tolos. – Pegou a árvore e a colocou sozinho sobre a carreta. – Agora vejam o que um homem pode fazer.

– É verdade – disseram os outros, e o lenhador perguntou que recompensa Tom desejava.

– Oh, uma acha de lenha para a lareira de minha mãe – respondeu Tom, e, arrancando uma árvore ainda maior do que a que pusera na carreta, a colocou sobre os ombros e foi para casa tão depressa quanto a carreta puxada por seis cavalos.

Tom percebeu que tinha mais força do que vinte homens juntos, e passou a ser sociável e feliz, gostando de companhia, indo a feiras e reuniões, praticando esportes e se dedicando a passatempos. Manejando o bastão, na luta livre ou atirando o martelo, nenhum homem o superava, até que por fim ninguém ousou subir no ringue para lutar com ele, e sua fama aumentou e se espalhou cada vez mais no país.

Fosse perto ou longe, ia às festas, jogos de futebol e outros acontecimentos.

Certo dia, em uma parte do país onde ninguém ainda ouvira falar dele, Tom parou para apreciar uma partida de futebol. Grande esporte. Mas estragou tudo porque, quando a bola veio em sua direção, ele a chutou com tanta força que ela desapareceu no ar, e ninguém a encontrou. Como podem imaginar, os jogadores ficaram furiosos com Tom. Para fugir da confusão, ele pegou um pau muito grande e foi dando golpes a torto e a direito, de modo que, mesmo com toda aquela gente do interior atrás dele, foi abrindo caminho por onde quer que passasse.

Certa noite, já era tarde para ele voltar para casa, e encontrou na estrada quatro vagabundos que andavam roubando quem passasse por lá. Acharam que iam se dar bem com Tom e pegar seu dinheiro.

– Entregue tudo! – gritaram.

– Mas o que devo entregar? – ele perguntou.

– Seu dinheiro, senhor.

– Vocês deveriam falar com mais educação – disse Tom.

– Vamos lá, chega de conversa. Queremos seu dinheiro e vamos pegá-lo antes que você se mexa.

– É mesmo? – perguntou Tom. – Então venham pegar.

Para encurtar a história, Tom matou dois dos vagabundos, feriu gravemente os outros dois, e ainda pegou mais de duzentas libras do que eles haviam roubado. E quando chegou em casa, fez a velha mãe rir com as aventuras do jogo de futebol e dos quatro ladrões.

Porém, vocês verão que de vez em quando Tom encontrava alguém à sua altura. Certo dia, caminhando pela floresta, ele encontrou um funileiro robusto que levava um cajado grosso no ombro e tinha um cachorro grande para carregar sua sacola de ferramentas.

– De onde vem e aonde vai? – perguntou Tom. – Isto aqui não é uma estrada.

– O que você tem a ver com isso? – resmungou o funileiro. – Tolos não devem ser bisbilhoteiros.

– Vou mostrar o que tenho a ver com isso antes que nos separemos – disse Tom.

– Bem – replicou o funileiro –, aceito briga com qualquer um, e ouvi dizer que existe no país um tal de Tom Hickathrift de quem se falam grandes coisas. Estou louco para lutar com ele.

– Sim – disse Tom –, eu sou esse homem. O que tem a me dizer?

– Ora! Que bom que nos encontramos.

– Você está de brincadeira – disse Tom.

– Não, falo sério – respondeu o funileiro. – Uma luta? Vamos?

– Primeiro me deixe pegar um graveto – disse Tom.

– Claro – concordou o funileiro –, longe de mim lutar com um homem desarmado.

Então Tom pegou uma grade de portão para ser seu bastão, e logo um caiu sobre o outro, o funileiro sobre Tom, e Tom sobre o funileiro, como dois gigantes. O funileiro usava um casaco de couro e a cada golpe de Tom o casaco rasgava um pouco, mas o funileiro não parecia se incomodar.

Por fim, Tom deu-lhe um soco do lado da cabeça que o fez cair.

– E agora, funileiro?

Mas, sendo um homem ágil, o funileiro se levantou depressa e deu um soco que fez Tom cambalear, seguido por mais um, do outro lado da cabeça, que fez o pescoço dele estalar. Tom largou sua arma e concluiu que o funileiro fora o melhor lutador; levou-o para sua própria casa onde ele e a mãe cuidaram dos machucados do homem, e dali em diante os dois se tornaram os melhores amigos do mundo.

A fama de Tom se espalhou tanto que um cervejeiro em Lynn, que procurava um homem forte para carregar sua cerveja para Wisbeach, foi contratá-lo e o presenteou com roupas novas da cabeça aos pés, e ofereceu do bom e do melhor para comer e beber. Tom concordou em trabalhar para ele, e o patrão lhe explicou que caminho seguir, porque na época existia um gigante monstruoso que tomava conta de parte das terras pantanosas para que ninguém passasse por ali.

Então todos os dias Tom percorria uns trinta e dois quilômetros pela estrada até Wisbeach. Era uma viagem cansativa, e ele logo descobriu que se seguisse pelo caminho vigiado pelo gigante gastaria a metade do tempo. Tom estava no auge da sua força física porque comia muito bem e bebia uma cerveja muito forte. Então, certo dia, quando ia para Wisbeach, sem nada dizer ao patrão ou a qualquer outro dos empregados, resolveu seguir o caminho mais curto, mesmo arriscando sua vida; como se diz, partiu para tudo ou nada.

Tendo tomado sua decisão, pegou a estrada mais próxima e abriu os portões para deixar passar sua carroça e os cavalos. Por fim, o gigante o viu e veio às pressas, com a intenção de conseguir a cerveja.

Confrontou Tom e o fitou como um leão furioso prestes a devorá-lo.

– Quem o autorizou a pegar este caminho? – rugiu. – Vou transformar você em exemplo para todos os outros vagabundos que tentarem fazer o mesmo. Veja quantas cabeças estão penduradas naquela árvore. A sua vai ficar no galho mais alto como um aviso.

Mas Tom respondeu:

– Aposto que não vai conseguir fazer isso comigo, seu cafajeste.

O gigante não levou em consideração essas palavras, e correu para a caverna a fim de pegar sua clava enorme e despedaçar os miolos de Tom de um só golpe.

Tom não sabia o que usar como arma; seu chicote não adiantaria muito contra uma besta monstruosa com quase quatro metros de altura e dois de circunferência. Mas enquanto o gigante foi buscar sua clava esperando que fosse uma arma muito poderosa, Tom tomou uma decisão. Pegou a carroça, virou de cabeça para baixo e arrancou um eixo e uma roda como escudo. Foi uma ótima ideia!

O gigante voltou e ficou olhando para Tom.

– Espera me vencer com essas armas que encontrou? – rugiu. – Tenho aqui uma clava que irá derrubar você e sua roda.

A clava era grossa como um poste, mas Tom não se amedrontou. O gigante se arremessou contra ele e conseguiu rachar a roda. Tom rebateu, dando um golpe tão forte do lado da cabeça do gigante que o fez cambalear.

– Quê? – debochou Tom. – Já ficou bêbado com a minha cerveja?

E assim continuaram; Tom desfechava golpes tão violentos no gigante que ele já estava com o rosto inchado e ensanguentado. Sendo muito gordo e já tonto e cansado com a longa luta, o gigante perguntou se Tom o deixaria tomar um gole.

– Nada disso. Minha mãe não me educou para ser tolo.

E vendo que o gigante ia ficando cada vez mais fraco por causa de seus golpes, resolveu se apressar enquanto o sol ainda brilhava e, golpeando como um louco, o fez cair no solo. Em vão, o gigante implorou e gritou, prometendo se comportar e ser criado de Tom. Nosso herói o golpeou até matá-lo e depois de cortar sua cabeça foi até a caverna e encontrou uma grande quantidade de prata e ouro, o que fez seu coração dar pulos de alegria. Arrumou a carroça e, depois de entregar a cerveja em Wisbeach, foi para casa e contou ao patrão o que lhe acontecera. Pela manhã, ele, o patrão e mais pessoas da cidade de Lynn foram até a caverna do gigante.

Tom lhes mostrou a cabeça do monstro e a prata e o ouro que estavam na caverna, e todos os homens deram pulos de alegria, pois o gigante fora um grande inimigo do país.

As notícias se espalharam pelos quatro cantos sobre como Tom Hickathrift matara o gigante, e feliz era aquele que podia correr até a caverna; o povo fez fogueiras para comemorar, e se Tom já era respeitado antes, agora se tornara muito mais. Por consentimento geral, tomou posse da caverna, e todos diziam que ele merecia o dobro daquela fortuna. Então Tom demoliu a caverna e construiu uma casa nova para si.

Doou uma parte do solo que o gigante dominara à força para os pobres que formaram uma comunidade, e outra ele transformou em campos de trigo para ele e sua velha mãe, Jane Hickathrift. Tom se tornou o maior líder rural: já não era chamado apenas de Tom, mas de senhor Hickathrift, e garanto que foi muito respeitado. Sustentou homens e mulheres necessitados e viveu com muita bravura; construiu um parque onde criava cervos. O tempo passou, e ele viveu feliz na grande casa até o final de seus dias.

A velhinha sortuda

Era uma vez uma velha que ganhava o seu magro sustento entregando encomendas e fazendo pequenos trabalhos para as esposas dos fazendeiros ao redor do vilarejo em que vivia. Não ganhava muito com isso, mas sempre lhe ofereciam um prato de carne em uma casa e uma xícara de chá na outra, e assim dava um jeito de continuar vivendo, sempre feliz como se tivesse tudo que desejava no mundo.

Em certa noite de verão, enquanto caminhava de volta para casa, encontrou um grande pote preto junto à beira da estrada.

– Ora, que bonito – disse ela, parando para olhar. – Esse pote seria ideal para mim se tivesse alguma coisa para pôr dentro! Mas quem será que o deixou aí? – E olhou em volta, procurando, pois talvez o dono do pote pudesse estar por perto. Mas não viu ninguém.

– Talvez o pote esteja furado – murmurou pensativa. – Sim, deve ser por isso que o deixaram aí. Então vai ser perfeito para colocar uma flor sobre a janela. Acho que vou levá-lo para casa de qualquer maneira.

Ela se inclinou e, mesmo com as costas doloridas, ergueu a tampa do pote para olhar dentro.

– Misericórdia! – gritou, dando um pulo para o outro lado da estrada.
– Está recheado de moedas de ouro!

Por algum tempo a velhinha deu voltas ao redor de seu tesouro, admirando o brilho do ouro amarelo e bendizendo sua boa sorte. Dizia a si mesma a cada dois minutos: "bem, sinto-me rica e poderosa!" Mas logo começou a refletir na melhor maneira de levar o pote para casa; e não viu outro modo senão amarrar uma ponta de seu xale nele e arrastá-lo pela estrada.

"Logo vai escurecer", disse para si mesma, "e as pessoas não perceberão que estou carregando um pote para casa, portanto terei toda a noite para pensar no que fazer com o tesouro. Posso comprar uma mansão e viver como a própria rainha e não fazer nada o dia inteiro, só sentar junto à lareira com uma xícara de chá, ou quem sabe vou entregar para o padre tomar conta para mim e vou pegando uma moeda sempre que quiser, ou quem sabe enterro uma parte do ouro em um buraco no jardim, e ponho outra parte sobre a lareira, entre a chaleira de porcelana e as colheres, como um enfeite. Ah! Sinto-me tão poderosa que nem me reconheço mais!"

A essa altura, já cansada de arrastar tanto peso, parou para descansar um minuto e virou-se para ver se seu tesouro estava a salvo.

Porém, quando olhou já não viu um pote com ouro, mas uma grande pepita de prata cintilante!

Ela olhou, e esfregou os olhos, e olhou de novo, mas só conseguiu ver uma grande pepita de prata.

– Jurava que arrastava um pote com ouro – disse por fim –, mas acho que estava sonhando. Ei, mas tudo bem. É ainda melhor; dará menos trabalho para tomar conta, e também será mais difícil ser roubada. As moedas de ouro seriam um transtorno para manter em segurança. Que bom que me livrei delas, minha linda pepita, estou muito rica!

E lá foi ela para casa, alegremente fazendo planos sobre as grandes coisas que faria com seu dinheiro. Mas logo se cansou de novo e parou mais uma vez para descansar alguns minutos.

Outra vez se virou para olhar seu tesouro, porém gritou surpresa:

– Oh, nossa! Agora meu tesouro se transformou em um pedaço de ferro! Bem, isso é ótimo e bem conveniente! Posso vender com muita facilidade e conseguir muitas moedas por ele. Ah, meu queridinho, é muito mais prático que um monte de ouro e prata e me livrarei de muitas noites acordada com medo de os vizinhos me roubarem. Sempre é muito bom ter ferro em casa, nunca se sabe quando será útil, e se acaso eu quiser vender... Oh, conseguirei um bom dinheiro. Rica? Sim, vou ser rica, poderei rolar em dinheiro!

E voltou a caminhar rindo pela sua boa sorte, até que olhou por cima do ombro "só para garantir que o ferro ainda está lá", pensou consigo mesma.

– Oh, meu Deus! – gritou histericamente ao olhar. – Dessa vez virou uma grande pedra! Ora! E não é que eu estava querendo? Eu estava procurando uma pedra para manter minha porta aberta. Ora, que boa mudança! Amorzinho, que sorte eu tenho.

E com pressa de ver como a pedra ficaria no canto da porta, ela desceu a colina e parou junto ao seu próprio portãozinho.

Quando abriu o ferrolho, virou-se para desamarrar a ponta do xale da pedra, que dessa vez parecia não ter mudado e jazia em paz junto à velha. Ainda havia luz, e ela podia ver a pedra claramente enquanto se debruçava com as costas doloridas para desamarrar a ponta do xale; então, de repente, a pedra pareceu dar um pulo e um relincho, e em um instante cresceu e se transformou em um grande cavalo que fincou as quatro patas no chão, balançou duas orelhas compridas, mexeu o rabo, e partiu a galope, rindo como um menino travesso.

A velha ficou olhando assustada, quase sem fôlego.

– Bem! – exclamou por fim. – Sou mesmo a pessoa mais sortuda das redondezas! Imagine estar ao lado desse cavalo selvagem e não ser pisoteada! Olhe que me sinto PODEROSA.

E entrou no seu chalé e se sentou junto à lareira, pensando em como era sortuda.

Gobborn, o vidente

Era uma vez um homem chamado Gobborn, o Vidente, que tinha um filho de nome Jack.

Certo dia, mandou o filho vender uma pele de carneiro, dizendo:

– Precisa me trazer de volta a pele e também o dinheiro que conseguir por ela.

Lá foi Jack, mas não encontrou ninguém que quisesse comprar a pele, devolver para ele, e lhe dar o dinheiro também. Então voltou para casa, desanimado.

Mas Gobborn, o Vidente, disse:

– Não tem importância, vá tentar de novo amanhã.

O rapaz tentou de novo, e ninguém quis comprar a pele de carneiro sob àquelas condições.

Quando voltou para casa, o pai disse:

– Deve tentar a sorte amanhã novamente.

E no terceiro dia parecia que tudo seria igual, então Jack pensou em não voltar para casa, pois o pai ficaria muito aborrecido. Quando chegou perto de uma ponte na Estrada do Riacho, debruçou-se no parapeito pensando no seu problema e achou que talvez fosse tolice fugir de casa, mas não conseguia se decidir. Então viu uma moça lavando roupa na margem lá embaixo. Ela ergueu os olhos e disse:

– Não quero ser curiosa, mas por que está tão preocupado?

– Meu pai me deu esta pele de carneiro e preciso ficar com ela e também vendê-la para ficar com o dinheiro que me pagarem.

– Só isso? Dê para mim. É fácil.

A moça levou a pele até o riacho, retirou a lã, e pagou o preço justo, dando a pele para Jack levar de volta.

O pai ficou muito contente ao saber da história e disse para Jack:

– Aquela é uma mulher esperta; seria uma ótima esposa para você. Acha que vai vê-la de novo?

Jack achava que sim. O pai sugeriu que ele fosse de vez em quando até a ponte a fim de reencontrar a moça, e, quando a visse, deveria convidá-la para tomar chá na sua casa.

Jack a viu e disse que seu pai desejava muito conhecê-la, e perguntou se gostaria de tomar chá com eles.

A moça agradeceu e disse que poderia ir no dia seguinte, porque naquele momento estava muito ocupada.

– Ótimo – disse Jack –, assim terei tempo de preparar tudo também.

Quando ela veio, Gobborn, o Vidente, comprovou que era uma moça inteligente, e pediu sua mão em casamento para o filho. Ela disse que sim, e os dois se casaram.

Pouco tempo depois, o pai de Jack pediu que o filho o acompanhasse, pois ele iria construir o mais belo castelo no mundo; era para um rei que desejava ofuscar todos os outros reis.

Quando partiram para começar as fundações, Gobborn, o Vidente, perguntou para Jack:

– Pode encurtar o caminho para mim?

Jack olhou para frente. A estrada era longa.

– Não sei como, pai.

– Você não é um bom filho, é melhor que volte para casa.

O pobre Jack deu meia-volta, e, quando chegou a casa, a esposa perguntou:

– Por que voltou sozinho?

Jack contou o que seu pai lhe pedira e o que ele respondera.

– Seu bobo – disse a esposa sábia –, se tivesse contado uma história para ele, teria encurtado o percurso! Então escute com atenção a que vou contar, depois vá alcançar Gobborn e comece a contar a mesma história. Ele vai se interessar, e quando você terminar já terão chegado ao seu destino.

Jack correu e suou muito, mas conseguiu alcançar o pai. Gobborn, o Vidente, nada disse, e Jack começou a contar sua história. Como previra a esposa, a estrada pareceu mais curta.

Quando chegaram ao fim da jornada, começaram a construir o castelo que deveria ofuscar todos os demais. A esposa aconselhara pai e filho a serem amigáveis com os empregados da obra, e eles obedeceram e sempre diziam "bom dia" e "boa tarde para você," enquanto iam de um lado para o outro.

Ao final de um ano, Gobborn, o homem sábio, construíra um castelo tão maravilhoso que milhares de pessoas vinham admirá-lo.

E o rei disse:

– Agora que o castelo está pronto, amanhã voltarei e pagarei todos vocês.

– Só há um teto para finalizar no andar de cima – disse Gobborn –, então tudo estará terminado mesmo.

Mas depois que o rei foi embora, a governanta mandou chamar Gobborn e Jack, e disse a eles que esperara uma oportunidade para alertá-los, porque o rei tinha tanto medo de que eles construíssem outro castelo tão bonito como aquele para outro rei que pretendia matar os dois no dia seguinte. Gobborn disse a Jack para ficar calmo, pois conseguiriam escapar da cilada.

Quando o rei voltou, Gobborn lhe disse que não conseguira completar o trabalho porque esquecera uma ferramenta em casa, e gostaria de mandar Jack buscar.

– Não, não – respondeu o rei. – Outro não pode fazer isso?

– Não, não saberia qual é a ferramenta – disse o Vidente –, mas Jack pode dar conta do recado.

– Você e seu filho devem ficar aqui – insistiu o rei. – Que tal se eu enviar meu próprio filho?

– Tudo bem.

Então Gobborn enviou uma mensagem para a esposa de Jack: "Dê a ele o Torto e o Reto!"

Havia um pequeno buraco no alto da parede, e a esposa de Jack fingiu tentar alcançá-lo subindo em um baú aberto, atrás do "torto e o reto", mas por fim pediu ao filho do rei que a ajudasse porque seus braços eram mais longos.

Quando ele se inclinou sobre o baú, ela o segurou pelos calcanhares e o atirou dentro, baixando a tampa, e então lá ficou o príncipe, "agora torto, antes reto!"

Ele implorou que ela lhe desse uma pena, tinta e papel, e ela obedeceu, mas não deixou que ele saísse do baú, e fez buracos ali para ele poder respirar.

Quando a carta chegou até o rei, seu pai, o príncipe dizia que seria libertado quando Gobborn e Jack estivessem sãos e salvos em casa. O rei percebeu que precisava aceitar aquela condição e se conformar, e deixou que os dois partissem.

Enquanto partiam, Gobborn previu que, agora que Jack terminara esse trabalho, iria logo construir um castelo para sua inteligente esposa e muito maior e mais bonito que o do rei.

Jack realmente construiu, e viveram felizes ali para sempre.

Senhor, tenha piedade de mim

Havia uma velha como ouvi dizer.
Ela foi ao mercado seus ovos vender;
Foi ao mercado e coisa e tal,
Mas adormeceu na estrada real.

Lá veio um mascate chamado Fortão
Que cortou sua roupa e proteção;
Cortou até onde deu,
E a velha tremeu e gemeu.

Assim que ela acordou
Voltou a tiritar;
Começou um choro sem-fim
"Senhor, tenha piedade de mim!"

E se' tiver piedade como espero,
Tenho um cãozinho que vai me reconhecer;
Se tiver piedade, a cauda irá torcer
Ou então irá latir e gemer.

No escuro lá foi para o seu lar;
O cãozinho se ergueu e começou a ladrar;
E ela começou a chorar
"Piedade, senhor, não quero congelar!"

Esfarrapada

Em um grande palácio à beira-mar morava um velho e muito rico senhor que não tinha nem esposa nem filhos vivos, apenas uma netinha cujo rosto ele nunca vira. O velho a odiava profundamente porque sua filha mais querida morrera dando à luz a menina; e quando a velha ama trouxera o bebê para ele ver, o avô jurara que a menina tanto podia viver como morrer, pois ele jamais olharia em seu rosto.

Então, o velho deu as costas à vida e se sentou à janela fitando o mar, derramando muitas lágrimas pela filha perdida, até que seus cabelos e barba branca cresceram para muito além dos ombros, enroscando-se em volta da cadeira e penetrando nas fendas do assoalho; e suas lágrimas, que nunca cessavam, caíram pelo parapeito da janela, formaram um riozinho na pedra e correram até o mar.

Enquanto isso, sua neta crescia sem ninguém para tomar conta dela ou vesti-la; só a velha ama, quando ninguém estava por perto, de vez em quando dava-lhe um prato com sobras da cozinha ou alguma roupa rasgada tirada de um saco de retalhos. E os outros empregados do palácio a expulsavam com safanões e palavras zombeteiras, chamando a menina de

"Esfarrapada", e caçoando de seus pés descalços e ombros à mostra, até que ela corresse chorando para esconder-se entre os arbustos.

E assim ela cresceu com pouco para comer ou vestir, passando os dias nos campos e nas planícies, tendo por companhia apenas o guardador de gansos, que tocava músicas tão alegres em sua pequena flauta quando ela estava faminta ou com frio e cansada, que ela se esquecia de todos os problemas. Aí então ela só queria dançar, tendo o bando de gansos barulhentos como pares.

Mas certo dia correu a notícia de que o rei estava viajando por aquelas terras e que na cidade vizinha haveria um grande baile para todos os cavalheiros e damas do país e que o filho do rei deveria escolher uma esposa.

Um dos convites reais foi enviado para o palácio à beira-mar, e os criados o levaram até o velho amo que continuava sentado à janela, enrolado nos longos cabelos brancos e chorando junto ao riozinho formado por suas lágrimas.

Mas quando o velho leu o convite real, animou-se, enxugou os olhos e pediu que lhe trouxessem uma tesoura para se libertar, pois seus cabelos o haviam feito prisioneiro na cadeira e não conseguia se mover. Depois mandou que lhe trouxessem ricas vestimentas e joias e se preparou; em seguida, ordenou que selassem seu cavalo branco com arreios de ouro e seda para ir se reunir ao rei.

Esfarrapada ouviu falar dos grandes festejos na cidade e sentou junto à porta da cozinha chorando porque não poderia comparecer.

Quando a velha ama a ouviu chorar com tamanha tristeza, dirigiu-se ao senhor do palácio e implorou que levasse sua neta ao baile do rei.

Mas o velho franziu a testa e mandou que a mulher se calasse, enquanto os outros criados riam e diziam:

– Esfarrapada é feliz com seus trapos, brincando com o guardador de gansos. Deixem-na em paz, ela só serve para isso.

Por mais duas vezes a velha ama implorou para o senhor levar a menina com ele, mas só recebeu olhares furiosos e palavras terríveis, até que foi expulsa do quarto pelos criados zombeteiros com safanões e palavras ofensivas.

Chorando por causa de sua derrota, a velha ama foi procurar Esfarrapada, mas a cozinheira a expulsara da porta da cozinha, e a menina correra para contar ao seu amigo, o guardador de gansos, como se sentia infeliz por não poder ir ao baile do rei.

Quando o guardador de gansos ouviu sua história, pediu que ela se alegrasse e propôs que os dois fossem à cidade para ver o rei e as lindas coisas ali. Ela fitou com tristeza seus farrapos e pés descalços, então ele tocou algumas notas na flauta, tão alegres e animadas que ela se esqueceu das lágrimas e dos problemas, e antes que se desse conta, o guardador a tomara pela mão e os dois, mais os gansos à frente, foram dançando pela estrada até a cidade.

Não haviam ido muito longe, quando um belo rapaz muito elegante deteve seu cavalo para perguntar qual o caminho para o castelo onde o rei estava hospedado; quando soube que os dois também iam naquela direção, apeou do cavalo e andou ao lado deles pela estrada.

O guardador de gansos pegou sua flauta e tocou uma melodia suave, e o estranho olhou muitas vezes para o lindo rosto de Esfarrapada até que se apaixonou profundamente por ela e implorou que ela o aceitasse como marido.

Mas Esfarrapada apenas riu e balançou os cabelos dourados.

– Ficaria envergonhado de ter uma guardadora de gansos como esposa! – explicou ela. – Vá e peça em casamento uma das damas elegantes que verá hoje no baile real e não zombe de mim, pobre Esfarrapada.

Porém quanto mais ela recusava, mais doce a flauta tocava e mais o rapaz se apaixonava. Por fim, como prova de sua sinceridade, ele implorou que a moça fosse ao baile à meia-noite, vestida como estava, com o guardador de gansos e seu rebanho, usando suas roupas rasgadas e de pés descalços. Ele dançaria com ela diante do rei, dos cavalheiros e damas, e a apresentaria como sua querida e honrada noiva.

Quando a noite chegou, o castelo se encheu de luzes e música, e os cavalheiros e damas dançavam diante do rei. Assim que soou meia-noite,

Esfarrapada e o guardador de gansos, seguidos pelo bando barulhento, entraram pelas grandes portas e caminharam até o salão de baile. E por todos os lados as damas sussurravam, os cavalheiros riam, e o rei, sentado no fundo do salão, arregalou os olhos.

Mas quando eles chegaram à frente do trono, o apaixonado por Esfarrapada se levantou ao lado do rei e veio ao encontro de sua amada. Segurando sua mão, beijou-a três vezes na frente de todos, e se voltou para o rei.

– Pai – disse, porque era o próprio príncipe. – Fiz minha escolha e aqui está minha noiva, a mais adorável jovem em todo o país, e a mais doce também!

Antes que acabasse de falar, o guardador de gansos encostou os lábios na flauta e tocou algumas notas baixas que soaram como um belo canto de pássaro ao longe nos bosques; e, enquanto tocava, os farrapos da jovem foram se transformando em roupas cintilantes bordadas com joias maravilhosas; uma coroa de ouro cobriu seus cabelos louros, e o bando de gansos atrás se transformou em um grupo de pajens elegantes que seguravam a longa cauda de seu vestido.

E quando o rei se levantou para recebê-la como sua filha, as trombetas soaram alto em honra da nova princesa, e as pessoas ali no salão e também as que estavam lá fora na rua diziam entre si:

– Ah! O príncipe escolheu como esposa a mais encantadora jovem do país!

O guardador de gansos nunca mais foi visto e ninguém soube o que aconteceu com ele, e o velho senhor voltou para seu palácio junto ao mar, porque não podia ficar na corte, já que jurara nunca olhar para o rosto da neta.

Ele continua ali sentado, e talvez um dia vocês possam vê-lo, chorando mais do que nunca enquanto olha para o mar.

O pãozinho

– Vovó, vovó, venha nos contar a história do pãozinho.
– Ai, crianças, já ouviram umas cem vezes. Não preciso contar de novo.
– Ah, mas, vovó, é uma história tão boa. Precisa contar. Só mais uma vez.
– Bem, bem, se todos prometerem se comportar, contarei de novo.
Era uma vez um casal de velhos que morava ao lado de um celeiro. Eles tinham duas vacas, cinco galinhas, um galo, um gato e dois gatinhos. O velho cuidava das vacas, e sua velha esposa fiava na roca. Os bichanos muitas vezes agarravam o fuso da senhora e então faziam suas brincadeiras sobre a lareira.

– Xô, xô – dizia a velha –, vão embora. – E eles continuavam a brincar.
Certo dia, depois do café da manhã, a velhinha quis comer um pãozinho. Então assou dois pãezinhos de aveia e os colocou sobre o fogo para crestarem. Pouco depois, o velho chegou e se sentou junto ao fogo, pegou um dos pãezinhos e cortou no meio. Quando o outro pãozinho viu aquilo, correu apavorado e bem depressa com a velha atrás, o fuso em uma das mãos e a roca na outra. Porém, o pãozinho escapuliu e desapareceu, correndo até que chegou a uma linda e grande casa de telhado de sapé;

entrou na casa com ousadia e foi até a lareira onde três alfaiates estavam sentados em um banco. Quando viram o pãozinho entrar, deram um pulo e se esconderam atrás da senhora que estava separando fios de uma meada junto ao fogo.

— Ai — disse ela —, não tenham medo, é só um pãozinho. Peguem ele e lhes darei leite também para tomarem.

Ela se levantou com seus fios e meadas junto com o alfaiate que segurava um ganso; e os dois aprendizes, um com a tesoura e o outro com um bastão. Porém o pãozinho escapou deles e ficou dando voltas na lareira. Um dos aprendizes tentou agarrá-lo com a tesoura, mas caiu sobre as brasas.

O alfaiate atirou o ganso sobre o pãozinho, e a senhora arremessou os fios e as meadas, mas não adiantou, o pãozinho fugiu e correu até chegar a uma casinha à beira da estrada; ali entrou e encontrou um tecelão sentado junto ao tear, e a esposa tecendo lã.

— Tibby — perguntou o tecelão —, o que é aquilo?

— Oh — disse a esposa —, é um pãozinho.

— Bem na hora — comentou o marido —, porque nosso mingau hoje está muito ralo. Agarre-o, minha esposa, agarre-o.

— Ai — disse ela. — Que droga! É um pãozinho esperto. Pegue-o você, Willie, pegue-o, homem.

— Ai! — exclamou Willie. — Atire as meadas nele.

Mas o pãozinho se esquivou e subiu a colina como um cabrito-montês ou uma vaca louca, e seguiu adiante até a lareira de outra casa onde estava uma senhora batendo o leite para fazer manteiga.

— Vá embora, pãozinho — ela disse. — Hoje já tenho creme e pão para comer.

Mas o pãozinho rodeou a batedeira com a senhora atrás dele, e na pressa ela quase derrubou sua manteiga. E antes que pudesse ajeitar a batedeira de novo, o pãozinho já saíra e descera até o moinho, onde entrou.

O moleiro estava peneirando a farinha, mas ergueu os olhos e disse:

— Ah, é um sinal de fartura quando se vê um pãozinho correndo por aí e ninguém para tomar conta dele. Gosto de um pãozinho com queijo. Venha cá.

Mas o pãozinho não confiava no moleiro nem no queijo, então se virou e fugiu, e o moleiro não conseguiu pegá-lo.

Então o pãozinho correu até que chegou à casa do ferreiro e subiu na bigorna enquanto o homem fazia ferraduras. Disse o ferreiro:

– Gosto de uma boa cerveja com um pãozinho frito. Venha cá.

Mas o pãozinho se assustou quando ouviu falar em cerveja, virou-se e partiu o mais depressa que pôde; o ferreiro foi atrás e atirou seu martelo, mas errou. Logo depois, o pãozinho desapareceu e correu até chegar a uma fazenda com uma pilha de carvão de turfa a um canto. O pãozinho entrou na casa e foi até a lareira. O dono da casa estava arrumando o algodão, e a esposa tagarelando.

– Olhe, Janet – ele disse –, lá está um pãozinho, e quero comer a metade.

– Bem, John, então vamos combinar que eu comerei a outra metade. Atire um dente de alho nele.

Mas o pãozinho escapou.

– Ai, ai – disse a esposa, tentando pegar o pãozinho que era esperto demais para ela.

E lá foi o pãozinho para a casa seguinte e rolou até a lareira. A esposa mexia a sopa, e o marido preparava cevada para as vacas.

– Olha, Jack! – exclamou a esposa. – Você está sempre sonhando com um pãozinho. Ali está um! Vamos, depressa, eu o ajudo a pegar.

– Oh, mulher, onde ele está?

– Ali. Correu para aquele lado.

Mas o pãozinho correu para detrás da poltrona de Jack, que caiu no meio da cevada. Então Jack e a mulher começaram a atirar cevada e sopa no pãozinho. Porém nosso pão era esperto demais para os dois e, em um instante, já estava fora da casa e longe, em meio às plantas espinhosas e descendo a estrada até a próxima casa, onde entrou e se dirigiu para a lareira. Ali o marido estava se sentando para jantar, e a esposa areava as panelas.

– Veja – disse ela –, um pãozinho entrou para se aquecer junto à lareira.

– Feche a porta – disse o marido –, e vamos tentar pegá-lo.

Quando o pãozinho ouviu isso, rapidamente correu para fora da casa com o casal atrás dele, a mulher agitando no ar as colheres, e o marido tentando jogar o chapéu em cima dele. Mas o pãozinho rolou para longe e correu, e correu, até chegar à outra casa; quando entrou, os moradores estavam se preparando para deitar; o marido tirava as calças, e a mulher remexia na lareira.

– O que é isso? – perguntou o homem.

– Oh – disse a mulher –, é um pãozinho.

– Poderia comer metade – disse o marido.

– Agarre o pãozinho – ela ordenou –, e comerei a outra metade. Jogue suas calças em cima dele!

O marido jogou as calças e quase sufocou o pãozinho, que mais uma vez conseguiu se safar e correu, o homem seguiu atrás sem as calças. Foi uma boa caçada no ancoradouro e entre as plantas espinhosas, mas por fim o homem perdeu o pãozinho de vista e precisou voltar seminu para casa. Já estava muito escuro, e o pãozinho não enxergava nada. Então parou para desviar de uma planta espinhosa e caiu na toca de uma raposa que não comia há dois dias.

– Seja bem-vindo – disse ela, e partiu o pãozinho em dois. E esse foi o fim de nosso herói.

Johnny Gloke

Johnny Gloke era alfaiate de profissão, mas, sendo um homem ambicioso, cansou-se do trabalho e desejou trilhar outro caminho que o levasse à fama e fortuna. Não sabia por onde começar, então por certo tempo se contentou em se deitar ao sol sem fazer nada, em vez de manejar a agulha e as tesouras. Em um dia quente, enquanto apreciava seu lazer, sentiu-se incomodado pelas moscas que voejavam em volta de seus tornozelos. Deu um tapa com força nas moscas e matou várias. Ao contar suas vítimas, ficou muito contente com seu sucesso; seu coração almejou realizar grandes coisas, e deu vazão aos sentimentos, dizendo para si mesmo: "Muito bem, Johnny Gloke, que matou cinquenta moscas com um golpe só."

Então tomou a resolução de encurtar seu caminho para a glória e a fortuna.

Foi procurar onde estava guardada uma velha espada enferrujada que pertencera a um de seus antepassados e partiu em busca de aventuras.

Após viajar muito, chegou a um país que sofria por causa de dois gigantes, e ninguém tinha coragem de enfrentá-los nem era forte o suficiente para vencê-los. Logo ele soube sobre os gigantes, e também lhe contaram que o rei oferecera uma grande recompensa e a mão de sua filha em casamento para o homem que livrasse o país daquele tormento. O coração de Johnny bateu mais forte, e ele se ofereceu para realizar a façanha.

O lar dos gigantes ficava em uma floresta, e lá foi Johnny com sua espada cumprir seu trabalho. Quando chegou à floresta, deitou-se para pensar que plano seguir, pois sabia como era fraco em comparação aos dois gigantes que prometera eliminar. Não estava lá muito tempo quando viu os dois chegarem com uma carroça a fim de pegar lenha para se aquecerem.

Nossa! Eram grandes mesmo, com cabeças enormes e presas no lugar dos dentes. Johnny se escondeu no buraco de uma árvore, pensando na própria segurança.

Sentindo-se seguro, olhou para fora do esconderijo, observou os dois gigantes trabalhando e então formou seu plano de ação. Pegou uma pedra, atirou com força em um deles e atingiu sua cabeça. Cheio de dor, o gigante se virou para o companheiro e praguejou, pensando que fora ele quem atirara a pedra. O outro negou com raiva, e Johnny soube que estava no caminho certo para ganhar a recompensa e a mão da princesa. Ficou bem quieto e esperou com cuidado por uma oportunidade para dar outro golpe. Logo a oportunidade chegou, e ele lançou outra pedra na cabeça do gigante, que dessa vez caiu em cima do companheiro com fúria, e os dois se esmurraram até ficarem exaustos, então se sentaram em um tronco de árvore para recuperar o fôlego e descansar.

Sentados, um disse para o outro:

– Bem, nem todo o exército do rei conseguiu nos derrubar, mas acho que neste momento até uma velhinha com uma corda seria demais para nós dois.

– E assim é – disse Johnny, surgindo de seu esconderijo, ousado como um leão. – O que me dizem de Johnny Gloke com sua velha espada enferrujada?

Assim dizendo, atirou-se sobre eles, cortou suas cabeças, e retornou triunfante. Recebeu a filha do rei em casamento e viveu feliz e em paz por certo tempo. Jamais revelou a alguém como derrotara os gigantes.

Tempos depois, houve uma rebelião entre os súditos de seu sogro. Devido à vitória contra os gigantes, Johnny foi escolhido para acabar com a rebelião. Ficou apavorado, mas não podia recusar e perder sua fama. Montou o cavalo mais arisco que já existira no mundo e partiu para realizar sua missão desesperada. Não estava acostumado a andar a cavalo e logo perdeu o controle da montaria, que galopou à toda brida em direção ao exército rebelde. Na sua corrida desabalada, passou por debaixo do cadafalso que ficava ao longo do caminho; o cadafalso era velho e frágil, e caiu sobre o pescoço de seu cavalo, mas mesmo assim o bicho não parou e continuou sempre adiante em grande velocidade e fazendo muito barulho em direção aos rebeldes.

Diante dessa visão estranha que se aproximava em tamanha velocidade, os rebeldes ficaram apavorados e disseram uns aos outros:

– Aí vem Johnny Gloke que matou os dois gigantes e chega com o cadafalso preso no pescoço de seu cavalo para nos matar também.

O exército desbaratou, todos correram com medo e só pararam quando chegaram às suas casas.

Assim Johnny Gloke saiu vitorioso pela segunda vez. E, tempos depois, subiu ao trono e viveu uma vida longa, feliz e boa como rei.

O tolo

Era uma vez nas terras de Lindsey, uma mulher sábia. Alguns diziam que era uma bruxa, mas sempre à meia-voz, senão ela poderia ouvir e lançar um feitiço. Porém, na verdade ninguém tinha certeza disso, pois jamais se soubera que fizera mal a alguém e se fosse bruxa sem dúvida já teria feito.

Mas a mulher sabia dizer qual era a doença de uma pessoa e como curá-la com ervas medicinais. Sabia preparar poções que tiravam a dor em um piscar de olhos, e aconselhava sobre o que fazer quando os animais ficavam doentes ou quando alguém se metia em encrenca, e também dizia às jovens se seus namorados eram fiéis.

Porém, ficava aborrecida se as pessoas a questionavam por muito tempo e detestava gente tola. Muitos a procuravam com pedidos idiotas porque eram assim, e para esses ela nunca dava conselhos, pelo menos não o tipo de conselho que pudesse ajudar muito.

Certo dia, enquanto estava sentada à porta de casa descascando batatas, ela viu se aproximando pela estrada um rapaz alto, com um nariz comprido e olhos esbugalhados, e com as mãos nos bolsos.

"Aquele é um tolo, sem dúvida e tem cara de tolo", disse a mulher sábia para si mesma com um aceno de cabeça, e atirou uma casca de batata por sobre o ombro esquerdo para evitar o mau-olhado.

– Bom dia – saudou o tolo –, venho ver a senhora.

– É mesmo? – perguntou a mulher. – Já percebi. Como vão as coisas com você esse ano?

– Oh, bem – ele respondeu. – Mas dizem que sou tolo.

– Ah, é verdade? – Ela acenou e atirou longe uma casca de batata, dizendo: – Também acho que é, mas sou assim mesmo e não sei mentir.

– Bem, minha mãe diz que jamais serei esperto, mas as outras pessoas dizem que não se pode ter tudo na vida. Será que a senhora não poderia me ensinar um pouco para que me considerem esperto na minha terra?

– Nossa! – exclamou a mulher. – Você é mais tolo do que eu pensava! Não, não posso lhe ensinar nada, rapaz. Mas vou lhe dizer uma coisa: será tolo até o dia que conseguir um casaco de barro. Aí então saberá mais do que eu.

– Ora, senhora, que tipo de casaco é esse?

– Isso não é problema meu – ela respondeu. – Você vai ter de descobrir.

Ela pegou suas batatas e entrou em casa. O tolo tirou o boné e coçou a cabeça.

– Sem dúvida é um tipo de casaco estranho para procurar – resmungou. – Nunca ouvi falar em um casaco de barro. Mas, afinal, sou um idiota, todo mundo sabe.

Então ele caminhou até chegar ao esgoto, que só tinha um fio de água e muita lama.

– Quanta sujeira – disse o tolo, todo contente, e se lambuzou na lama. – Oh! – exclamou, meio sufocado com a boca cheia de lama. – Agora tenho um casaco de barro com certeza. Vou para casa dizer para minha mãe que sou um sábio e não mais um tolo.

E foi para casa.

Enquanto caminhava, chegou a um chalé com uma moça à porta.

– Bom dia, tolo – cumprimentou ela. – Você caiu no lago dos cavalos?

— Tola é você – respondeu o rapaz. – A mulher sábia disse que conheceria mais coisas que ela quando tivesse um casaco de barro, e aqui está. Quer casar comigo, moça?

— Sim – ela respondeu, porque gostaria de ter um tolo como marido. – Quando será o casamento?

— Virei buscá-la depois que contar para minha mãe – ele avisou, e lhe deu sua moeda da sorte antes de prosseguir caminho.

Quando chegou em casa, encontrou a mãe na soleira da porta.

— Mãe, consegui um casaco de barro.

— Casaco de lama – ela corrigiu. – E daí?

— A mulher sábia disse que eu seria mais esperto que ela quando tivesse um casaco de barro – o tolo explicou –, então me lambuzei no esgoto e consegui um, e já não sou um tolo.

— Muito bem. Agora pode arrumar uma esposa.

— Já arrumei. Vou me casar com a moça do chalé.

— Quê? Aquela moça? Não vai não. Ela não passa de uma pirralha que não tem nem uma vaca ou um repolho.

— Mas eu já lhe dei minha moeda da sorte.

— Então está mais tolo do que antes do seu casaco de barro! – reclamou a mãe, batendo com a porta no nariz dele.

— Raios! – exclamou o tolo, coçando a cabeça. – Não é o tipo certo de barro, sem dúvida.

Então voltou para a estrada e se sentou à margem do rio, olhando para a água que parecia fria e clara.

Aos poucos foi adormecendo e antes que se desse conta caiu no rio, espalhando água para todos os lados, e de lá saiu todo molhado.

— Nossa! É melhor eu me secar logo.

Voltou para a estrada e se deitou no pó, rolando para pegar sol de todos os lados.

Logo se sentou e, olhando para si mesmo, viu que o pó endurecera com a água, formando uma espécie de pele sobre as roupas molhadas e que as cobria completamente.

– Ora! Eis aqui um casaco de barro sob medida e muito bom. Dessa vez fui ainda mais esperto, porque encontrei o que queria sem ter que procurar! Uau! Como é bom ser tão esperto!

E ficou sentado, coçando a cabeça, pensando na própria inteligência.

Mas de repente na curva da estrada surgiu um fidalgo rural a galope como se o bicho-papão estivesse atrás dele, e o tolo deu um pulo, obrigando o cavaleiro a puxar as rédeas do cavalo. Gritou o fidalgo:

– Que diabos está fazendo sentado no meio da estrada?

– Bem, senhor – disse o tolo –, caí na água e me molhei, então me deitei na estrada para secar. Deitei como um tolo e me levantei como um sábio.

– Como assim? – perguntou o fidalgo.

Então o tolo lhe contou sobre a mulher sábia e o casaco de barro.

– Ah, ah! – o fidalgo riu. – Quem já ouviu falar de um homem inteligente deitado no meio da estrada para ser atropelado? Rapaz, acredite, está mais idiota do que antes. – E foi embora rindo.

– Raios! – praguejou o tolo coçando a cabeça. – Quer dizer que ainda não consegui o tipo certo de casaco de barro. – E tossiu e cuspiu a poeira que o cavalo do fidalgo levantara.

Então prosseguiu na caminhada, muito melancólico, até que chegou a uma taverna, onde o taverneiro estava à porta, fumando.

– Bem, tolo – disse o taverneiro –, você está imundo.

– Sim, estou sujo, e mesmo assim ainda não acertei.

E contou para o taverneiro tudo sobre a mulher sábia e o casaco de barro.

– Ora! – exclamou o taverneiro com uma piscadela. – Sei o que está errado; você está com uma camada de sujeira por fora e poeira seca por dentro. Precisa umedecer, rapaz, com uma boa bebida, e então terá um verdadeiro casaco de barro.

– Que boa ideia – disse o tolo.

Ele entrou e começou a beber. Mas era preciso muita bebida para umedecer tanta poeira, e a cada vez que ele chegava ao fundo do copo via que ainda estava seco. Por fim, começou a ficar muito alegre e contente consigo mesmo.

– Agora tenho um verdadeiro casaco de barro por fora e por dentro, que diferença! Sinto-me um novo homem, tão esperto!

E disse ao taverneiro que sem dúvida agora era um sábio, embora não conseguisse falar direito de tão bêbado que estava. Levantou-se e pensou em ir para casa contar à mãe que ela já não tinha um filho tolo.

Mas bem na hora em que tentava passar pela porta da taverna que parecia não parar quieta para ele atravessá-la, o taverneiro o segurou pela manga.

– Olhe aqui, patrão. Não pagou pela bebida. Cadê o dinheiro?

– Não tenho nenhum! – respondeu o bobão, e virou os bolsos do avesso para mostrar que estavam vazios.

– Quê? – gritou o taverneiro, soltando um palavrão. – Bebeu todas as minhas bebidas e não vai pagar?

– Isso mesmo! – respondeu o tolo. – Você me disse para beber que assim teria um casaco de barro; mas como agora virei sábio não me importo de ajudá-lo no trabalho, pois sou esperto e humilde com os amigos.

– Sábio! Esperto! – resmungou o taverneiro. – E vai me ajudar, é isso? Droga! É o maior idiota que já encontrei, e sou eu quem irá ajudá-lo, colocando-o fora daqui!

E o chutou para a estrada, dizendo impropérios.

– Humm – murmurou o tolo, caído no pó da estrada. – Não sou tão inteligente como pensava. Acho que vou voltar para a mulher sábia e dizer que há alguma coisa errada.

Então se levantou e foi até a casa da mulher sábia, e a encontrou sentada à porta.

– Então você voltou – disse ela com um aceno. – O que quer de mim agora?

Ele se sentou e contou como tentara conseguir um casaco de barro e que não ficara nem um pouco esperto depois de suas tentativas.

– Não – disse a mulher sábia –, você está mais tolo que nunca, meu rapaz.

– É o que todos dizem – ele lamentou. – Mas então onde poderei encontrar o tipo certo de casaco de barro, senhora?

– Quando deixar este mundo, e sua gente o enterrar – respondeu a mulher sábia. – Só esse casaco de barro o fará ser inteligente, meu rapaz. Nasceu tolo e morrerá tolo, será tolo a vida inteira e essa é a verdade! – E entrou na casa, fechando a porta.

– Raios – disse o tolo –, devo contar para minha mãe que ela tinha razão, afinal, e que nunca terá um homem sábio como filho!

E lá foi ele para casa.

As três vacas

Havia um fazendeiro que tinha três vacas robustas e bonitas. Uma se chamava Exibida, a outra Diamante, e a terceira Beleza. Certa manhã, ele foi até o estábulo e encontrou Exibida tão magra que o vento poderia carregá-la. A pele sobrava sobre os ossos, a carne desaparecera, e ela o fitava com olhos arregalados como se tivesse visto um fantasma. E para piorar, quando ele voltou para a cozinha, encontrou apenas uma grande pilha de cinzas na lareira.

Bem, o fazendeiro ficou preocupado; não entendia como tudo isso acontecera.

Na manhã seguinte, sua esposa foi até o estábulo, e, acreditem, Diamante estava tão magra quanto Exibida, não passava de um saco de ossos, a carne desaparecera, e mais um monte de lenha também desaparecera; a lareira tivera uma pilha de lenha de quase um metro de altura, mas agora só mostrava cinzas.

O fazendeiro resolveu ficar de vigia na noite seguinte, e então se escondeu em um armário que se abria para a sala, e deixou a porta entreaberta para ver o que acontecia.

Tique-taque, tique-taque, batia o relógio, e o fazendeiro já estava ficando cansado de esperar; mordia o dedo mindinho para se manter acordado. De repente a porta da casa se escancarou, e cerca de cem duendes entraram apressados, rindo e dançando, e arrastando Beleza pelo cabresto até que a puseram no meio da sala. O fazendeiro pensou que seria melhor morrer de medo e não ser curioso.

Tique-taque, tique-taque, continuou o relógio, mas ele já não o ouvia. Estava concentrado nos duendes e em sua última e linda vaca. Viu quando a derrubaram, caíram por cima dela e a mataram; então com suas pequenas facas eles a abriram e a deixaram oca. Alguns duendes saíram e logo trouxeram lenha para a lareira e fizeram um fogaréu, e lá prepararam a carne assada, cozida, ensopada e frita.

– Cuidado – gritou um deles que parecia ser o líder. – Que nenhum osso se quebre.

Quando acabaram de devorar cada pedacinho, começaram a jogar os ossos uns para os outros. Um ossinho da perna da vaca foi cair perto da porta do armário, e o fazendeiro teve tanto medo de que os duendes se aproximassem dali e o encontrassem, que enfiou a mão para fora e atirou o osso para longe.

Então o líder subiu na mesa e ordenou:

– Juntem os ossos!

Os duendes correram de um lado para o outro, recolhendo os ossos.

– Arrumem – disse o líder, e eles colocaram os ossos na posição certa, remontando a vaca. Depois passaram a pele por cima, e o líder bateu com seu cajado na pele com ossos. Upa! A vaca se ergueu muito lúgubre. Estava viva de novo, mas, por Deus! Quando os duendes a levaram de volta para o estábulo, ela mancava em uma das pernas da frente porque faltava um osso.

O galo cantou,
Os duendes sumiram.

E o fazendeiro foi para a cama tremendo de medo.

O gigante cego

Em Dalton, perto de Thirsk, no condado de Yorkshire, existe um pequeno moinho que foi reformado recentemente; mas quando eu estava em Dalton, há seis anos, a construção era ainda antiga. Em frente à casa havia um longo monte que chamavam de "túmulo do gigante", e dentro do moinho havia uma longa lâmina de ferro parecida com uma ceifadeira, mas não curva, que era chamada de "faca do gigante," por causa de uma história muito curiosa que se conta. Gostariam de ouvir? Bem, não é muito comprida.

Certa vez, morava no moinho um gigante com um só olho no meio da testa, e que moía ossos humanos para fazer pão. Certo dia, ele capturou em Pilmoor um rapaz chamado Jack, e, em vez de moer seus ossos no moinho, ele o manteve como seu criado e não deixou que fugisse.

Jack serviu o gigante por sete anos e nunca teve um feriado para descansar. Por fim já não aguentava mais. Uma famosa feira de cavalos estava para acontecer, e Jack implorou que o gigante o deixasse ir lá.

– Não, não – disse o gigante. – Fique em casa e trate de moer.

– Tenho moído e moído esses sete anos – disse Jack – e nunca tive um dia de descanso, mas agora terei um de qualquer jeito.

– Vamos ver – resmungou o gigante.

Era um dia de muito calor, e, após o jantar, o gigante se deitou no moinho com a cabeça sobre uma saca e cochilou. Comera no moinho e deixara ao seu lado um grande pão de ossos, e a faca da qual lhes falei estava na sua mão, mas ele afrouxou os dedos enquanto dormia. Jack pegou a faca e, segurando com as duas mãos, enfiou a lâmina no único olho do gigante, que despertou com um berro de dor, levantou e barrou a porta. Jack se viu em perigo, pois não podia sair, mas logo encontrou uma maneira para escapar. O gigante tinha um cachorro de estimação, que também dormia por ali quando o dono ficou cego, então Jack matou o cão, esfolou e atirou a pele sobre suas costas.

– Au, au – gritou.

– Pegue ele, Cassetete! – ordenou o gigante. – Pegue o malandrinho que alimentei por sete anos e que agora me cegou.

– Au, au – imitou Jack, ficou de quatro e correu entre as pernas do gigante, latindo até alcançar a porta. Destrancou e saiu, e nunca mais foi visto no moinho de Dalton.

Pé Arranhado

Era uma vez três ursos que moravam em um castelo em uma grande floresta. Um deles era grande, o outro era de tamanho médio e o terceiro era pequeno. Na mesma floresta, morava sozinha uma raposa chamada Pé Arranhado. Ela tinha muito medo dos ursos, mas mesmo assim queria saber tudo sobre eles. Certo dia, quando caminhava pela floresta, viu que estava perto do castelo dos ursos e pensou se poderia entrar lá. Olhou em volta e não havia ninguém. Então se aproximou bem devagarzinho, até que chegou à porta do castelo e tentou abrir. A porta não estava trancada, e a raposa abriu uma pequena fresta, enfiou o focinho para dentro e olhou. Não viu ninguém. Então abriu mais um pouquinho e pôs uma pata dentro, depois outra pata e a outra e a outra, e entrou no castelo dos ursos. Viu que estava em um salão com três poltronas: uma grande, uma média e uma pequena. Resolveu se sentar para descansar e admirar tudo em volta; então se sentou na poltrona grande, mas achou que era tão dura e desconfortável que todos os seus ossos doeram, e deu um pulo para longe.

Então se sentou na poltrona média e ficou se remexendo de um lado para o outro, mas também não se sentiu confortável. Foi para a poltroninha, sentou-se ali, e era tão macia, quentinha e confortável que Pé Arranhado ficou muito contente; porém, de repente, a poltrona se quebrou em pedaços, e a raposa não conseguiu consertá-la! Então se levantou e voltou a olhar tudo ao redor, e sobre uma mesa viu três xícaras, uma muito grande, a outra média, e a terceira pequena.

Pé Aranhado estava com muita sede, e começou a beber da grande xícara com leite. Porém mal dera um gole sentiu que estava tão azedo e ruim que desistiu. Provou da xícara média e bebeu um pouquinho dela. Engoliu uns três goles, mas também não estava bom, e então a deixou de lado e foi pegar a xícara pequena, e o leite ali era tão doce e bom que bebeu tudo.

Pé Arranhado ficou curiosa por ver o andar de cima; apurou os ouvidos e não conseguiu ouvir nada. No segundo andar, encontrou um enorme quarto com três camas; uma era grande, a outra média e a terceira pequenina. Subiu na cama grande, mas era tão dura e tão cheia de calombos desconfortáveis que pulou para fora logo, e tentou a cama média. Essa era um pouco melhor, mas não se sentiu confortável, então depois de se virar algumas vezes, levantou-se e foi para a cama pequena; essa era tão macia e quentinha que logo adormeceu.

Pouco depois, os três ursos voltaram para o castelo. Quando entraram no salão, o urso grande foi até sua poltrona e reclamou:

– Quem se sentou na minha poltrona?

E o urso médio gritou também:

– Quem se sentou na minha poltrona?

E o ursinho perguntou:

– Quem se sentou na minha poltroninha e a deixou em pedaços?

Foram tomar leite, e o urso grande gritou:

– Quem bebeu meu leite?

E o urso médio repetiu:

– Quem bebeu meu leite?

E o ursinho:

– Quem bebeu meu leite todinho?

Subiram para o dormitório, e o urso grande perguntou:
– Quem dormiu na minha cama?
E o urso médio repetiu:
– Quem dormiu na minha cama?
E o ursinho perguntou também:
– Quem dormiu na minha caminha? E ainda está aqui dormindo!
Então os três ursos se reuniram para decidir o que fazer com a raposa.
O urso grande propôs:
– Vamos enforcá-la!
E o urso médio disse:
– Vamos afogá-la!
E o ursinho falou:
– Vamos atirá-la pela janela!

Os três ursos pegaram a raposa; o urso grande segurou duas pernas e o urso médio segurou as outras duas, e eles a balançaram de um lado para o outro uma porção de vezes, até darem impulso e a atirarem pela janela.

A pobre Pé Arranhado ficou apavorada, pensando que quebrara todos os ossos. Mas se levantou e sacudiu uma perna... não, não estava quebrada; depois sacudiu a outra, e a outra e a outra, então balançou a cauda, satisfeita que nenhum osso estava quebrado. Partiu correndo para casa o mais rápido que conseguiu e nunca mais voltou para perto do castelo dos ursos.

O mascate de Swaffham

Nos tempos antigos, quando a ponte de Londres era ladeada por lojas e os salmões nadavam sob os arcos, vivia em Swaffham, no condado de Norfolk, Inglaterra, um pobre mascate. Tinha que se esforçar muito para ganhar a vida, perambulando com sua mochila nas costas e seu cão ao lado, e ao final de um dia de trabalho só queria deitar e dormir. Acontece que certa noite ele teve um sonho, no sonho viu a grande ponte de Londres e ouviu uma voz que dizia que se ele fosse até lá teria notícias muito boas. Não deu importância ao sonho, mas na noite seguinte sonhou tudo igual, e de novo na terceira noite.

Então disse para si mesmo: "talvez esse sonho seja um bom aviso", e foi caminhando para Londres. O percurso era longo e ficou muito contente quando por fim se viu sobre a grande ponte, admirando as casas altas à direita e à esquerda, observando a água que corria no rio abaixo e vendo os barcos. Caminhou de um lado para o outro o dia inteiro, mas nada aconteceu que revelasse uma boa notícia. E de novo na manhã seguinte foi para a ponte, andou de um lado para o outro, mas nada ouviu ou viu.

No terceiro dia, enquanto ainda estava em cima da ponte olhando tudo ao redor, um lojista falou com ele:

– Amigo, estou cismado com você há tantos dias sobre a ponte. Não tem nada para vender?

– Na verdade não – respondeu o mascate.

– Vejo que também não está pedindo esmola.

– Não pedirei enquanto puder me sustentar.

– Então, em nome de Deus, o que quer aqui?

– Bem, meu bom senhor, para dizer a verdade sonhei que se viesse para cá ouviria boas notícias.

O lojista caiu na gargalhada.

– Você deve ser um tolo para fazer uma viagem tão longa baseado em um sonho idiota. Ouça, meu pobre caipira, eu também sonho, e na noite passada sonhei que estava em Swaffham, um lugar de onde nunca ouvi falar e que fica em Norfolk, se não me engano, e me vi em um pomar atrás da casa de um mascate, e lá havia um grande carvalho. Então, no sonho, uma voz me disse que se cavasse um buraco encontraria debaixo da árvore um grande tesouro. Mas não sou idiota para fazer uma viagem longa e cansativa só por causa de um sonho bobo. Não, meu bom homem, aprenda com meu conselho e seja mais esperto. Vá para casa e cuide da sua vida.

O mascate ouviu, mas nada disse; no íntimo estava muito feliz. Voltou para casa correndo, cavou debaixo do grande carvalho, e encontrou um tesouro enorme. Ficou imensamente rico, mas não se esqueceu de que, tendo enriquecido, tinha obrigações. Reconstruiu a igreja de Swaffham, e quando morreu o povo ergueu uma estátua dele em pedra com a mochila nas costas e o cachorro ao lado. E até hoje ali está a estátua que não me deixa mentir.

A velha bruxa

Existiam duas moças que moravam com seus pais. O pai não tinha emprego, e as meninas queriam ir embora, em busca de fortuna. Uma delas queria se empregar, e a mãe disse que poderia ir se encontrasse um lugar para trabalhar, então a moça partiu para a cidade. Bem, percorreu a cidade inteira, mas ninguém a quis empregar, então foi mais longe, para o campo, e chegou a um lugar onde havia um forno com muitos pães assando. E um pão disse:

– Mocinha, mocinha, tire-nos do forno, tire-nos do forno. Estamos assando há sete anos, e ninguém veio nos tirar daqui.

A moça tirou os pães do forno, arrumou todos eles no chão e seguiu caminho.

Então encontrou uma vaca que disse:

– Mocinha, mocinha, tire meu leite, me ordenhe! Há sete anos espero e ninguém veio me ordenhar.

A menina tirou o leite da vaca, colocou nos baldes, e como estava com sede bebeu um pouco, deixando o restante ali perto.

Caminhou mais um pouco e viu uma macieira tão carregada de frutas que seus galhos estavam vergando com o peso. A árvore lhe pediu:

– Mocinha, mocinha, ajude-me, sacuda meus galhos para derrubar as maçãs. Está muito pesado e sinto que eles vão se quebrar.

A menina respondeu:

– Claro que sim, minha pobre macieira.

Ela sacudiu a árvore, e todas as maçãs caíram dos galhos. Deixou as frutas ali no solo debaixo da macieira e voltou a caminhar até chegar a uma casa. Acontece que na casa vivia uma bruxa que prendia meninas para serem suas criadas. E quando ouviu que aquela menina deixara o lar à procura de trabalho, disse que a aceitaria para uma experiência, lhe daria um bom salário e explicou:

– Deve manter a casa limpa e arrumada, varrer o chão e limpar a lareira todos os dias; mas uma coisa nunca deve fazer. Jamais olhe dentro da chaminé, do contrário algo ruim irá lhe acontecer.

A menina prometeu fazer o que a bruxa dissera, mas certa manhã quando limpava a casa e a bruxa saíra, esqueceu-se da recomendação e olhou dentro da chaminé. Quando fez isso, uma grande sacola com dinheiro caiu no seu colo, e isso aconteceu várias vezes. A menina resolveu voltar para casa.

Depois de andar um pouco, ouviu os passos da bruxa atrás dela, então correu até a macieira e gritou:

– Macieira me esconda
Para que a velha bruxa não me encontre;
Senão ela moerá meus ossos
E me enterrará sob as pedras de mármore.

A macieira a escondeu. Quando a bruxa a alcançou, disse:

– Minha macieira,
Viu uma menina engraçadinha
Com sacolas?
Ela roubou todo o meu dinheiro.

E a macieira respondeu:
– Não, mãezinha, não vejo uma menina há sete anos.

Quando a bruxa prosseguiu por outro caminho, a moça continuou a caminhar, e quando chegou ao estábulo e viu a bruxa se aproximando, correu para a vaca e implorou:

> – Vaca, me esconda
> Para que a velha bruxa não me encontre
> Senão ela moerá meus ossos
> E me enterrará sob as pedras de mármore.

Então a vaca a escondeu.

Quando a bruxa ali chegou, olhou em volta e perguntou para a vaca:

> – Minha vaca, minha vaca,
> Viu uma menina engraçadinha
> Com sacolas?
> Ela roubou todo o meu dinheiro.

E a vaca respondeu:
– Não, mãezinha, não vejo uma menina há sete anos.

Novamente a bruxa seguiu por um caminho, a menina prosseguiu por outro, mas ao chegar perto do forno percebeu que bruxa a seguia e se aproximava, então correu para o forno e pediu:

> – Forno, forno, me esconda
> Para que a velha bruxa não me encontre
> Senão ela moerá meus ossos
> E me enterrará sob as pedras de mármore.

E o forno respondeu:
– Não tenho espaço, peça ao padeiro.

E o padeiro a escondeu atrás do forno.

Quando a bruxa chegou ali, olhou de um lado para o outro, e depois disse ao padeiro:

> – Meu bom homem,
> Viu uma menina engraçadinha
> Com sacolas?
> Ela roubou todo o meu dinheiro.

E o padeiro respondeu:
– Olhe dentro do forno.
A bruxa foi olhar, e o forno disse:
– Entre aqui e olhe nos cantos mais fundos.
A bruxa obedeceu. Quando estava dentro do forno a porta se fechou, e ela ficou lá dentro por muito tempo.

A menina prosseguiu seu caminho, chegou à casa com suas sacolas de dinheiro, casou-se com um homem rico também, e viveu feliz para sempre.

Sua irmã pensou em partir e fazer o mesmo. Daí seguiu a mesma estrada e quando alcançou o forno, o pão pediu:
– Mocinha, mocinha, tire-nos daqui, há sete anos estamos assando, e ninguém veio nos tirar.
Ela respondeu:
– Não, não quero queimar meus dedos.
Então prosseguiu até encontrar a vaca, que lhe disse:
– Mocinha, mocinha, tire meu leite, me ordenhe. Há sete anos espero e ninguém veio me ordenhar.
Mas a menina respondeu:
– Não a posso ordenhar, estou com pressa.
E seguiu mais veloz. Então alcançou a macieira, que lhe pediu para ajudá-la a sacudir as maçãs.
– Não, hoje não posso. Talvez outro dia – disse a moça e continuou seu caminho até que chegou à casa da bruxa.

Bem, aconteceu com ela o mesmo que acontecera com sua irmã. Ela também esqueceu a recomendação e certo dia quando a bruxa saíra, ela olhou dentro da chaminé, e uma sacola com dinheiro caiu de lá. Então a menina resolveu fugir na mesma hora. Quando alcançou a macieira, ouviu a bruxa que a perseguia, e gritou:

> – Macieira me esconda
> Para que a velha bruxa não me encontre
> Senão ela quebrará meus ossos
> E me enterrará sob as pedras de mármore.

Mas a árvore não respondeu, e a menina apavorada correu para mais longe. Logo a bruxa chegou perto da macieira e perguntou:

> – Minha macieira,
> Viu uma menina engraçadinha
> Com uma sacola?
> Ela roubou todo o meu dinheiro.

A macieira respondeu, movendo um dos seus galhos:
– Sim, mãezinha, ela foi por ali.
Então a bruxa velha foi atrás da menina e, quando a alcançou, recuperou todo o dinheiro da sacola, deu-lhe uma surra, e a mandou de volta para casa sem nada.

Os três pedidos

Era uma vez, e podem ter certeza de que foi há muito tempo, um pobre lenhador vivia em uma grande floresta, e todos os dias de sua vida saía para cortar madeira. Então uma manhã se preparou para sair, e sua esposa colocou comida na mochila e encheu a garrafa para que o marido pudesse comer e beber na floresta.

Ele marcara um enorme e velho carvalho que, pensou, poderia fornecer muitas e muitas boas tábuas, e quando se aproximou do carvalho pegou o machado e o sacudiu por cima da cabeça como se quisesse derrubar a árvore de um só golpe. Mas não chegou a dar a primeira machadada porque ouviu uma súplica de dar dó e, na sua frente, surgiu uma fada que implorou que não derrubasse a árvore.

O lenhador ficou surpreso, espantado e com medo, e por alguns segundos também mudo de terror, mas por fim disse:

– Bem, farei como você me pede.

– Fez um grande bem para você mesmo – falou a fada. – E para demonstrar como sou grata, vou lhe conceder seus próximos três desejos, seja lá o que pedir.

A fada desapareceu, e o lenhador jogou a sacola sobre o ombro e pegou a garrafa, voltando para casa.

Mas o caminho era longo, e o pobre homem continuava encantado com o que lhe acontecera. Ao chegar à casa, só queria sentar e descansar. Talvez isso também fosse obra da fada. Quem poderia saber? De qualquer modo, ele estava alegre quando se sentou perto do fogo e logo sentiu muita fome, embora faltassem várias horas para o jantar.

– Tem alguma coisa para comer? – perguntou para a esposa.

– Não, só daqui a algumas horas – ela respondeu.

– Ah! – resmungou o lenhador. – Como gostaria de um bom pedaço de chouriço agora na minha frente.

Mal dissera isso quando ouviu um barulho e um farfalhar, e o que surgiu da chaminé? Um pedaço do melhor chouriço que alguém poderia desejar.

O lenhador arregalou os olhos, e a mulher muito mais.

– O que é isto? – ela perguntou.

Então o lenhador recordou tudo que acontecera pela manhã e contou para a esposa do início ao fim, e a cada palavra a mulher ia ficando mais zangada, e quando ele chegou ao fim da história, ela exclamou:

– Você foi um idiota, Jan, um grande idiota, e gostaria que esse chouriço se prendesse no seu nariz!

Antes que ele pudesse responder, colado ao seu nariz surgiu o maior e melhor chouriço já visto.

Ele puxou, mas estava grudado, e a esposa tentou, mas também nada conseguiu, e os dois puxaram ao mesmo tempo até quase arrancar o nariz do pobre homem, mas foi em vão.

– O que faremos agora? – ele perguntou.

– Acho que você sabe – ela respondeu, olhando para o marido com severidade.

O lenhador soube que precisava formular um desejo e depressa; e desejou que o chouriço caísse do seu nariz. Bem, logo o chouriço estava em uma travessa sobre a mesa, e se o casal não ganhou uma carruagem dourada ou roupas de seda e cetim, pelo menos teve um petisco saboroso para o jantar.

A lua enterrada

Há muito tempo, na época da minha avó, a região de Carlan, na Inglaterra, era só um pântano com grandes charcos de água escura e filetes rastejantes de água esverdeada e terra mole que parecia guinchar quando se pisava.

Vovó costumava dizer que em épocas muito distantes a própria lua estivera morta e enterrada nos pântanos; vou repetir para vocês o que ela me contou.

A lua lá no céu brilhava como brilha ainda hoje e, quando brilhava, iluminava os charcos pantanosos, de modo que se podia caminhar por ali em segurança como se fosse dia.

Mas quando ela não brilhava, surgiam as Criaturas que habitavam a escuridão e preparavam-se para fazer o mal; fantasmas e bichos horríveis e rastejantes surgiam quando a lua não brilhava.

Bem, a lua ouviu falar sobre isso e, sendo boa e generosa como deve ser mesmo, brilhando para todos nós de noite em vez de descansar, ficou muito preocupada.

– Vou verificar eu mesma – disse –, talvez não seja tão ruim como diz o povo.

Cumpriu a promessa e, no fim do mês, desceu do céu embrulhada em um manto negro com um capuz também negro sobre os cabelos prateados e brilhantes. Caminhou direto até o final do pântano e olhou em volta. Só viu água para todos os lados; filetes rastejantes e terra mole, grandes raízes cheias de nós, retorcidas e caídas. À frente tudo era escuridão, a não ser pelo reflexo das estrelas nos charcos, e pela luz que os pés da lua projetavam, escapando da barra do manto negro.

A lua se embrulhou mais no manto, tremendo, receosa, mas não desistiria sem ver tudo que precisava ser visto. Então prosseguiu com passos leves como o vento no verão, de redemoinho em redemoinho, em meio aos buracos com água barulhenta. Quando se aproximava de um grande charco negro, escorregou e caiu sobre ele. Segurou com as duas mãos uma raiz ali perto para se equilibrar, mas ao tocá-la a raiz se enroscou nos seus pulsos como algemas e a apertou tanto que a lua não conseguiu se livrar. Puxou, contorceu-se e lutou, mas de nada adiantou. Estava presa e assim ficaria.

Logo, enquanto tremia no escuro, imaginando de onde viria o auxílio, ouviu alguém chamando a distância, chamando, chamando e depois se calando com um soluço, até que os pântanos se encheram com o som do lamento doloroso, e então a lua ouviu passos se aproximando, fazendo barulho na lama e respingando na terra fofa, e, em meio à escuridão, ela viu um rosto branco com grandes olhos amedrontados.

– Sou um homem que se perdeu nos pântanos – ele murmurou.

Cheio de medo, ele avançou com passos vacilantes para a luz que parecia uma esperança de ajuda e segurança. E quando a pobre lua viu que ele se aproximava cada vez mais do buraco fundo, distanciando-se do caminho seguro, ela ficou tão desesperada e triste que lutou novamente contra a raiz e puxou mais do que nunca, e embora não conseguisse se libertar, remexeu-se e se contorceu, até que seu capuz negro caiu, revelando os brilhantes cabelos prateados, e a maravilhosa luz que surgiu sufocou a escuridão.

O homem gritou de alegria ao ver a luz de novo, e de súbito todas as criaturas do mal voaram para os cantos escuros, pois não suportavam a claridade. Então o homem pôde ver onde estava, onde ficava o caminho a seguir com segurança e como sair do pântano, e teve tanta pressa de fugir dos Demônios, Fantasmas e Criaturas que moravam ali, que mal olhou para a luz brilhante que vinha dos lindos cabelos prateados da lua; ela escorregou no manto negro e caiu fundo na água. Ficou tão preocupada em salvar o homem, feliz por ver que ele redescobrira o caminho certo, que se esquecera que também precisava de ajuda e que estava presa pela raiz negra.

O homem foi embora, exausto e sem fôlego, tropeçando e soluçando de alegria, correndo para viver sua vida longe dos terríveis pântanos. E a lua refletiu que gostaria muito de segui-lo. Ela lutou como louca, até que caiu de joelhos, exausta de tanto lutar, junto à raiz. E enquanto ficava ali, tentando recuperar o fôlego, o capuz voltou a cair sobre sua cabeça, e a abençoada luz desapareceu, e a escuridão voltou com todas as suas Criaturas Malignas, com guinchos e gritos.

As criaturas rodearam a lua, zombando, agarrando e batendo, uivando de ódio e desdém, xingando e grunhindo, pois sabiam que ela era uma velha inimiga que os fazia voltar para seus cantos e os impedia de executar seus atos malvados.

– Droga! – gritaram os seres malignos. – Você estragou nossos feitiços do ano todo!

– E nos obrigou a ficar nos cantos! – berraram os fantasmas.

E todas as criaturas se uniram para gritar: "Ho, ho!" até que as moitas balançaram e a água gorgolejou, e então recomeçaram:

– Vamos envenená-la – gritavam as bruxas. – Sim, vamos envenená-la!

E "ho, ho!" berravam as Criaturas de novo.

– Vamos sufocá-la – sussurraram os Horrores Rastejantes que se enroscavam nos joelhos da lua. – Sim, vamos sufocá-la!

E "ho, ho!", zombaram os outros seres.

E de novo todos gritaram com desdém e maldade, e a pobre lua se encolheu, desejando estar morta.

E discutiram e brigaram sobre o que fariam com ela, até que uma luz pálida e cinzenta surgiu no céu, anunciando o alvorecer. E quando eles viram isso, temeram não ter tempo para executar sua maldade; então agarraram a lua com seus horríveis dedos ossudos, e a fizeram afundar na água ao pé da raiz. E os Demônios pegaram uma grande e estranha pedra e a rolaram por cima da lua, impedindo que se levantasse. E mandaram duas Luzes do Pântano se revezarem para vigiar a raiz negra e se certificarem de que a lua continuava presa e imóvel e que não poderia se livrar para acabar com a alegria deles.

E ali ficou a pobre lua enterrada no pântano até que alguém a libertasse. E quem saberia onde procurá-la?

Bem, os dias se passaram, e chegou a hora de a lua nova aparecer. As pessoas por superstição guardavam moedas nos bolsos e palha debaixo do boné para se prepararem, e olhavam para cima, pois a lua era uma boa amiga para o povo pantaneiro que ficava feliz quando a escuridão ia embora, os caminhos se tornavam seguros de novo, e as Criaturas do Mal eram afastadas pela luz abençoada sobre os buracos cheios de água.

Mas dias e dias se passaram, e a lua nova nunca chegou; as noites continuavam escuras, e as Criaturas do Mal estavam mais assustadoras do que nunca. O tempo passava, e a lua nova nunca chegava. É claro que a pobre gente ficou apavorada e surpresa, e muitos procuraram a Mulher Sábia que morava no velho moinho, perguntando se ela saberia dizer para onde fora a lua.

– Bem – disse a mulher, depois de consultar a beberagem na panela, o espelho mágico e o livro de encantamentos. – É estranho, mas não consigo lhes dizer exatamente o que aconteceu com a lua. Se ouvirem alguma coisa, venham me contar.

Então cada um seguiu seu caminho. Os dias foram passando, e a lua nunca surgia. É claro que havia falatório. Céus! E quanto falatório! As línguas trabalhavam em casa, na taverna, no jardim. Mas um belo dia, enquanto os homens estavam sentados no grande banco da taverna, um sujeito dos confins dos pântanos os ouviu falar e, de repente, aprumou-se e bateu com a mão no joelho.

– Por Deus! – exclamou. – Esqueci completamente, mas acho que sei onde a lua está! – E contou aos outros como se perdera nos pântanos e, quando estava quase morto de medo, uma luz surgira, e ele encontrara o caminho de volta para casa.

Então todos foram procurar a Mulher Sábia e contaram-lhe essa história. Ela consultou a panela com a beberagem por muito tempo e também o livro de novo, e depois comentou:

– Ainda está escuro, rapazes, muito escuro e não consigo ver muito bem dentro da panela. Então façam o que lhes digo e vocês mesmos descobrirão. Vão todos para casa antes que escureça mais, amanhã coloquem uma pedra na boca, carreguem um ramo de avelãs nas mãos e não digam nem uma só palavra até voltarem sãos e salvos dos pântanos para casa. Agora podem ir e não tenham medo; entrem nos pântanos e procurem por um caixão, uma vela e uma cruz. Aí saberão que estão perto da lua; procurem e a encontrarão.

E veio a noite seguinte sempre escura, e lá foram todos juntos, cada homem com uma pedra na boca e um ramo de avelãs na mão e, como podem imaginar, tremendo e com muito medo, tropeçando e seguindo os caminhos até o meio dos pântanos. Nada viram embora ouvissem sussurros, percebessem coisas flutuando no ar e sentissem dedos gelados que os tocavam.

Mas de repente, procurando pelo caixão, a vela e a cruz, alcançaram o charco perto da raiz onde a lua estava enterrada.

E de súbito pararam com medo e assombro, pois viram a grande pedra meio submersa na água muito parecida com um grande caixão. E lá estava a enorme raiz, esticando seus dois ramos como uma cruz negra e sombria, e sobre ela uma luzinha que piscava como se fosse uma vela se apagando, então todos se ajoelharam na lama, rezando em silêncio.

Depois avançaram por causa da cruz, e logo se afastaram com medo dos fantasmas, mas sempre em silêncio porque sabiam que as Criaturas do Mal os pegariam se não obedecessem às orientações da Mulher Sábia.

Então decidiram avançar sem medo e seguraram a grande pedra, levantando-a. Quando voltaram à vila contaram que, por um breve instante, viram um rosto estranho e lindo olhando para eles, feliz nas águas escuras; porém a luz brilhou tão intensa e tão branca que todos recuaram surpresos, e, no minuto seguinte, quando voltaram a enxergar bem, a lua nova brilhava no céu, cintilante, linda e bondosa como sempre, sorrindo para eles, fazendo desaparecer os seres malignos e clareando os caminhos como se fosse dia, penetrando até nos cantos mais remotos como se assim pudesse acabar com a escuridão e os fantasmas para sempre.

Um filho de Adão

Certo dia, um homem estava trabalhando. Fazia muito calor, e ele cavava. A toda hora parava para descansar e enxugar o suor do rosto. Estava bem zangado porque tinha que trabalhar muito só por causa do pecado de Adão, então reclamava sem parar e xingava Adão.

Acontece que o patrão ouviu e perguntou:

– Por que culpa Adão? Faria o mesmo que ele fez se estivesse no seu lugar.

– Não faria, não – respondeu o homem. – Teria sido mais esperto.

– Bem, vamos fazer um teste – disse o patrão. – Venha me procurar na hora do jantar.

Então, na hora do jantar o homem chegou. O patrão o levou até um cômodo onde a mesa estava posta com comidas gostosas de todos os tipos e disse:

– Pode comer quanto quiser e provar de tudo. Mas não toque na travessa coberta no meio da mesa até que eu volte.

Assim dizendo, o patrão saiu e deixou o homem ali sozinho.

Então ele se sentou e se serviu, e comeu um pouco deste e daquele prato, regalando-se fartamente, mas depois de certo tempo, como o patrão não voltava, começou a olhar para a travessa coberta, imaginando o que haveria ali embaixo. E foi pensando cada vez mais e disse para si mesmo: "deve ser alguma coisa muito boa. Por que não posso dar uma olhada? Não vou tocar. Não pode haver mal algum em dar uma espiada".

Por fim, não aguentou mais a curiosidade, ergueu o pano só um pouquinho; mas não conseguiu ver nada. Então levantou mais um pouco, e de dentro da travessa saiu um camundongo. O homem tentou pegá-lo, mas o bichinho correu e saltou da mesa. E o homem correu atrás. Primeiro o camundongo foi para um canto e depois, quando o homem pensou que o pegaria, para o outro canto, e para debaixo da mesa, e em volta do cômodo todo.

O homem fazia tanto barulho, pulando, esbarrando nos móveis e correndo atrás do camundongo, que por fim o patrão voltou e, olhando a cena, disse:

– Ah! Nunca mais culpe Adão, meu caro, porque você também foi curioso!

As crianças na floresta

Agora reflitam, queridos pais,
Nas palavras que escrevo;
Vão ouvir uma história triste,
E contá-la, eu quero e devo.
Viveu outrora em Norfolk,
Um cavalheiro exemplar
Que superava em honra
Muitos homens do lugar.
Doente, aguardava a morte,
Ninguém podia salvá-lo de tal sorte;
Sua esposa também estava mal
E os dois seguiriam no mesmo funeral.
Havia amor entre eles,
Eram almas gêmeas;
Viveram e morreram com amor,
Deixando duas crianças.
Um menino forte e bonito
De três anos com certeza,

E uma menina menor,
Cheia de graça e beleza.
O pai deixara ao filho com bondade
Trezentas libras por ano
Para sua maioridade.
E para sua filhinha
Quinhentas libras em ouro
Como dote de casamento
Se ela casasse.
Mas se os filhos morressem
Antes da maioridade
O tio herdaria tudo
Pois assim dizia o testamento.
"Irmão", disse o moribundo
"Olhe pelos meus amados filhos;
Seja bom com os dois,
Eles não têm mais ninguém;
Recomendo hoje a Deus e a você
Meu amor profundo
Pois, acredite, me resta
Pouco tempo neste mundo.
Deve ser pai e mãe para eles,
E tio também;
Só Deus sabe o que acontecerá
Quando eu morrer e estiver no além."
E disse a mãe:
"Oh querido irmão,
É o escolhido para criar nossos filhos
Na riqueza e na pobreza.
E se os guardar bem
Deus o recompensará;
Mas se não o fizer
Deus o punirá."

Beijaram com lábios gelados
Seus filhos que soluçavam:
"Que Deus os abençoe, queridos!"
E assim choravam.
Depois o irmão falou
Para o casal moribundo:
"Não temam, irmãos,
Que criarei seus pequenos,
E que Deus me castigue
E aos que amo,
Se eu falhar com esses queridos
Quando vocês morrerem!"
E depois que os pais morreram,
O tio levou as crianças
Para sua casa com honrarias,
Mas depois de um ano e um dia
Planejou se livrar delas.
Combinou com dois malandros
Que não prestavam
Que levassem as crianças,
E as matassem no bosque.
Contou para a esposa uma mentira
Que levaria os sobrinhos
Para viverem em Londres
Com um de seus amigos.
Então lá foram as crianças
Felizes e inocentes
Porque nesse dia
Andariam a cavalo.
Tagarelaram e tagarelaram
Enquanto seguiam caminho
Junto aos seus carrascos
Que os fariam morrer.

Joseph Jacobs

Mas foram tão meigos
Que abrandaram os corações
Dos que os fizeram reféns
E que se arrependeram.
Porém um deles, mais duro,
Jurou seguir o plano
Porque o tio o contratara
E pagara muito bem.
Mas o outro não concordou,
Então começaram a brigar
E lutaram entre si
Para a vida das crianças salvar;
E o que era bom
Matou o companheiro
Dentro do bosque isolado
E as crianças se apavoraram!
Pegou-as pela mão
Com lágrimas nos olhos,
E as fez segui-lo
Sem chorar
E caminharam em vão,
E as crianças tinham fome
"Fiquem aqui", disse o homem.
"Quando voltar trarei pão."
De mãos dadas, os irmãos andaram
Para cima e para baixo,
E nunca mais viram o homem
Voltar da cidade.
Comeram amoras silvestres
Que coloriram seus lábios
E quando a noite chegou
Sentaram e choraram.

Assim vagaram os pobrezinhos
Até que a morte os surpreendeu
E morreram abraçados
Buscando paz
Não houve funeral para eles
O que seria normal,
Até que um pintarroxo teve dó
E os cobriu de folhas.
E então a ira de Deus
Caiu sobre o tio cruel.
Demônios rondaram sua casa,
E sua consciência doía.
Celeiros foram incendiados,
Seus bens se consumiram,
Suas terras ficaram áridas
Seu gado morreu no campo.
E as riquezas sumiram.
Em uma viagem a Portugal
Dois de seus filhos morreram
E por fim o tio passou mal
Com fome e na miséria.
Hipotecou todas as terras
E sete anos se passaram
E por fim seu pecado
Foi descoberto.
O homem que se incumbira
De matar as crianças
Foi acusado por roubo
Por vontade de Deus.
Confessou a verdade
E tudo que acontecera.

Joseph Jacobs

O tio morreu na cadeia
Por causa da maldade.
Vocês que por acaso
Devem tomar conta
De crianças sem pais
Inocentes e frágeis,
Aproveitem o exemplo
E tratem de fazer o bem
Senão Deus os punirá
E será bem merecido.

Os fantasminhas

Era uma vez um senhor e uma senhora com uma garotinha, e todos viviam em uma casa feita de cânhamo. O velho tinha um cachorro chamado Turpie. Certa noite, os fantasminhas chegaram, e o líder deles ordenou:

– Fantasminhas! Derrubem a casa de cânhamo, devorem o velho e a velha e levem a garotinha!

Mas o cãozinho Turpie latiu tanto que os fantasminhas fugiram; e o velho disse:

– Turpie ladra tanto que não consigo dormir nem ao menos cochilar e se sobreviver até amanhã cortarei seu rabo.

Então pela manhã o velho cortou o rabo de Turpie.

Na noite seguinte, os fantasminhas voltaram e receberam a ordem:

– Fantasminhas! Fantasminhas! Derrubem a casa de cânhamo, devorem o velho e a velha e levem a garotinha!

Mas o cãozinho Turpie latiu tanto que os fantasminhas fugiram; e o velho disse:

– Turpie ladra tanto que não consigo dormir nem ao menos cochilar e se sobreviver até amanhã cortarei uma de suas pernas.

Então pela manhã o velho cortou uma das pernas do cãozinho Turpie.

Na noite seguinte, os fantasminhas voltaram e ouviram:

– Fantasminhas! Fantasminhas! Derrubem a casa de cânhamo, devorem o velho e a velha e levem a garotinha!

Mas o cãozinho Turpie latiu tanto que os fantasminhas fugiram; e o velho disse:

– Turpie ladra tanto que não consigo dormir nem ao menos cochilar e se sobreviver até amanhã cortarei outra de suas pernas.

Então pela manhã o velho cortou outra perna do cãozinho.

Na noite seguinte, os fantasminhas voltaram, e o líder deles repetiu:

– Fantasminhas! Fantasminhas! Derrubem a casa de cânhamo, devorem o velho e a velha e levem a garotinha!

Mas o cãozinho Turpie latiu tanto que os fantasminhas fugiram; e o velho disse:

– Turpie ladra tanto que não consigo dormir nem ao menos cochilar e se sobreviver até amanhã cortarei outra de suas pernas.

Então pela manhã o velho cortou outra perna dele.

Na noite seguinte, os fantasminhas voltaram e ouviram:

– Fantasminhas! Fantasminhas! Derrubem a casa de cânhamo, devorem o velho e a velha e levem a garotinha!

Mas o cãozinho Turpie latiu tanto que os fantasminhas fugiram; e o velho disse:

– Turpie ladra tanto que não consigo dormir nem ao menos cochilar e se sobreviver até amanhã cortarei a última de suas pernas.

Então pela manhã o velho cortou a última perna dele.

Na noite seguinte, os fantasminhas voltaram e receberam a ordem:

– Fantasminhas! Fantasminhas! Derrubem a casa de cânhamo, devorem o velho e a velha e levem a garotinha!

Mas o cãozinho Turpie latiu tanto que os fantasminhas fugiram; e o velho disse:

– Turpie ladra tanto que não consigo dormir nem ao menos cochilar e se sobreviver até amanhã cortarei a cabeça dele.

Então pela manhã o homem cortou a cabeça do cãozinho Turpie.

Na noite seguinte, os fantasminhas voltaram e de novo ouviram:

– Fantasminhas! Fantasminhas! Derrubem a casa de cânhamo, devorem o velho e a velha e levem a garotinha!

E quando descobriram que Turpie perdera a cabeça, derrubaram a casa de cânhamo, devoraram o velho e a velha e carregaram a garotinha em um saco.

Quando os Fantasminhas chegaram à sua casa penduraram o saco com a menina dentro, e cada fantasminha batia no alto do saco, dizendo:

– Olhe para mim! Olhe para mim!

Depois foram todos dormir até a noite seguinte, porque os fantasminhas dormem durante o dia.

A garotinha chorou muito, e um homem que passava por ali com um cachorro muito grande a ouviu chorar. Quando perguntou à menina como fora parar ali, ela contou. Então o homem colocou o cão no saco e levou a menina para sua casa.

Na noite seguinte, os fantasminhas bateram muito na parte de cima do saco, depois o puseram no chão e exclamaram:

– Olhe para mim! Olhe para mim!

E quando abriram o saco, o cachorro grande pulou para fora e devorou todos eles, e hoje não existem mais fantasminhas.

Um pote de miolos

Por estas partes e não faz muito tempo, havia um tolo que queria comprar um pote com miolos, pois estava sempre se metendo em confusão por causa de sua idiotice, e todos riam dele. As pessoas diziam que ele poderia ter o que quisesse se procurasse a mulher sábia que morava no alto da colina, e que sabia fazer poções e misturar ervas para encantamentos e coisas assim, e podia prever o futuro para todos e sua família. Então o tolo contou para a mãe e pediu permissão para procurar a mulher sábia e comprar um pote com miolos.

– Faz bem – disse a mãe –, porque está precisando muito de miolos, meu filho. E se eu morrer quem tomará conta de um pobre tolo como você tão despreparado como um bebezinho para cuidar de si mesmo? Mas seja educado e diga palavras agradáveis, meu rapaz, pois essas pessoas sábias se aborrecem com facilidade.

Então, depois do chá, lá foi o tolo procurar a mulher sábia e a encontrou sentada junto à lareira, mexendo em uma grande panela.

– Boa tarde, senhora – disse ele. – A noite vai ser bonita.

– Sim – respondeu ela, continuando a mexer na panela.

– Pode chover – continuou o tolo, apoiando-se ora em um pé e depois no outro.

– Talvez – disse a mulher.

– Acho que não – disse o tolo, olhando pela janela.

– Pode ser – disse ela.

E ele coçou a cabeça e amassou o chapéu.

– Bem – continuou o tolo –, não me preocupo com o tempo, mas, vamos ver, as colheitas estão indo bem.

– Estão bem – ela repetiu.

– E... e... os animais estão engordando – ele disse.

– Estão mesmo – ela concordou.

– E... e... – Ele calou-se por um instante e depois continuou: – Acho melhor falarmos de negócios agora, porque já tivemos uma conversinha educada. A senhora tem miolos para vender?

– Depende – respondeu a mulher. – Se deseja miolos de um rei, de soldado ou de professor, não tenho.

– Ora, não – disse ele –, apenas miolos comuns, bons para um tolo, igual aos que todos têm por aqui; algo bem simples.

– Muito bem – disse a mulher sábia. – Isso posso conseguir, mas você também tem de ajudar.

– Como farei isso, senhora?

– Assim – disse ela, olhando para a janela. – Traga-me o coração da criatura que mais ama, e eu lhe direi onde conseguir seu pote de miolos.

– Mas – hesitou ele, coçando a cabeça – como farei isso?

– Problema seu. Descubra por si mesmo, meu rapaz, se não deseja ser um tolo pelo resto da vida. Mas terá de resolver uma charada para que eu saiba que trouxe o coração certo e que merece os miolos. E agora tenho mais o que fazer, então vá cuidar da sua vida. – Dispensou o rapaz, levantou-se e levou a panela para os fundos da casa.

Então lá foi o tolo procurar a mãe e contou o que a mulher sábia dissera.

– Acho que vou matar aquele porco – disse o tolo – porque adoro bacon mais do que tudo.

– Então faça isso – concordou a mãe –, pois decerto será bom para você se conseguir um pote com miolos e puder tomar conta de si mesmo.

Então ele matou o porco e, no dia seguinte, foi para o chalé da mulher sábia, e lá estava ela, lendo um livro grande.

– Bom dia, senhora – disse ele –, trouxe o coração da criatura que mais amo; e vou colocar sobre a mesa, embrulhado em papel.

– Verdade? – perguntou ela, e o fitou por detrás dos óculos. – Então me diga: o que corre sem pés?

Ele coçou a cabeça, pensou, pensou, mas não soube responder.

– Vá embora – disse a mulher por fim –, pois não me trouxe o coração certo ainda. Hoje não tenho miolos para lhe dar. – E fechou o livro com estrondo, dando as costas.

Então lá foi o tolo contar para a mãe, mas quando chegava, pessoas vieram correndo lhe contar que sua mãe estava morrendo.

E quando ele entrou em casa, a mãe apenas o fitou e sorriu como a dizer que agora poderia partir sossegada já que ele tinha miolos suficientes para se cuidar e morreu.

O tolo se sentou e quanto mais pensava pior se sentia, lembrava de como a mãe cuidara dele quando ainda era um bebê, ajudara-o com as lições, preparara seu jantar, remendara suas roupas e aguentara sua burrice; e foi se sentindo cada vez pior até que começou a chorar e soluçar.

– Oh, mãe, mãe! Quem tomará conta de mim agora? Não deveria ter me deixado sozinho, porque eu a amava mais do que tudo!

E ao dizer isso, lembrou-se das palavras da mulher sábia.

– Ora, ora! – exclamou ele. – Será que devo levar o coração de minha mãe para a mulher? Não, não posso fazer isso! O que farei? O que fazer para conseguir o pote com miolos agora que estou sozinho no mundo?

O tolo pensou e pensou e, no dia seguinte, embrulhou o corpo da mãe em um saco e o levou nos ombros até o chalé da mulher sábia.

– Bom dia, senhora. Acho que consegui lhe trazer o coração certo desta vez. – E atirou o saco no chão, junto à porta.

– Talvez – disse a mulher. – Porém me responda isto agora, o que é amarelo e reluz, mas não é ouro?

E ele coçou a cabeça, pensou, pensou, mas não conseguiu responder.

– Não me trouxe a coisa certa, meu rapaz – disse ela por fim. – Acho que é mais idiota do que eu pensava! – E fechou a porta na cara dele.

– Vejam só – ele resmungou, retornando pela estrada. – Perdi as duas únicas criaturas que amava e o que mais posso encontrar para conseguir um pote de miolos?

E chorou e soluçou muito, até que lágrimas escorreram para sua boca. Então uma moça que vivia nas redondezas se aproximou e o fitou.

– O que há com você, tolo? – perguntou.

– Oh, matei meu porco, perdi minha mãe e não passo de um completo idiota – disse ele, ainda soluçando.

– Isso é mau – disse a moça. – E não tem ninguém para cuidar de você?

– Não – ele respondeu. – Não posso comprar meu pote com miolos porque não restou ninguém de que goste muito!

– Do que está falando? – quis saber a moça.

E os dois se sentaram juntos, e ele lhe contou tudo sobre a mulher sábia, o porco, sua mãe e as charadas, dizendo que estava sozinho no mundo.

– Bem – falou a moça –, não me importaria de tomar conta de você.

– Poderá fazer isso? – ele perguntou.

– Oh, sim! Dizem que os tolos são bons maridos, e gostaria de me casar com você, se me quiser.

– Sabe cozinhar?

– Sei.

– E lavar o chão?

– Claro.

– E remendar minhas roupas?

– Posso fazer isso também.

– Acho que será uma boa esposa – ele disse –, mas o que faço com a mulher sábia?

– Oh, espere um pouco. Alguma coisa pode acontecer e não importa se é um tolo, contanto que me aceite para tomar conta de você.

– Está certo.

E os dois se casaram, e a moça mantinha a casa tão limpa e arrumada, e cozinhava tão bem que certa noite o marido lhe disse:

– Moça, acho que gosto mais de você do que qualquer outra pessoa no mundo.

– Que bom ouvir isso – disse ela. – E daí?

– Acha que devo matá-la e levar seu coração para a mulher sábia me dar o pote com miolos?

– Deus, não! – exclamou a moça, apavorada. – Não permitirei. Mas, ouça aqui, você não arrancou o coração de sua mãe morta, arrancou?

– Não, mas se tivesse feito isso quem sabe teria conseguido meu pote com miolos.

– Creio que não – disse ela –, mas me deixe viva com coração e tudo o mais, e prometo que o ajudarei com as charadas.

– Ajudará mesmo? – ele perguntou em dúvida. – São muito difíceis para uma mulher adivinhar.

– Bem, vamos ver. Diga qual era a primeira charada.

– O que corre sem pés?

– Ora! Água! – ela respondeu.

– Pode ser – o tolo coçou a cabeça. – E o que é amarelo e brilha, mas não é ouro?

– Ora! O sol! – respondeu ela.

– Meu Deus! – ele exclamou. – Venha, vamos ver a mulher sábia agora mesmo.

E lá foram eles. E quando alcançaram o chalé, ela estava sentada à porta, trançando palha.

– Bom dia, senhora – disse ele.

– Bom dia, tolo – ela respondeu.

– Acho que desta saberei a resposta certa.

A mulher fitou os dois e limpou os óculos.

– Pode me dizer o que é que primeiro não tem pernas, depois tem duas, e no final tem quatro?

O tolo coçou a cabeça e pensou, pensou, mas não conseguiu responder.

A esposa sussurrou ao seu ouvido:

– É um girino.

Então ele disse em voz alta:

– Pode ser um girino, senhora.

A mulher sábia balançou a cabeça, concordando.

– Está certo – disse –, e você ganhou seu pote com miolos.

– Onde está? – perguntou o tolo, olhando em volta e procurando nos bolsos.

– Na cabeça da sua esposa – respondeu a mulher. – A única cura para um tolo é uma boa esposa que cuide dele, e você conseguiu, então boa sorte!

E assim dizendo acenou para os dois, levantou-se e entrou em casa.

O casal voltou para seu lar, e ele nunca mais pensou em comprar um pote com miolos porque sua esposa tinha o suficiente para os dois.

O rei da Inglaterra e seus três filhos

Era uma vez um velho rei que tinha três filhos; certo dia, sentiu-se muito doente e nada havia que o fizesse melhorar a não ser as maçãs douradas que cresciam em um lugar muito distante dali. Então os três irmãos partiram a cavalo para buscar algumas dessas maçãs. Partiram juntos e quando chegaram a uma encruzilhada pararam e se refrescaram um pouco; depois resolveram se encontrar mais tarde e juraram que nenhum voltaria para casa antes dos outros. O príncipe Valentine pegou o caminho da direita, o irmão Oliver foi em frente, e o jovem Jack pegou o caminho da esquerda.

Para encurtar uma longa história, seguirei o pobre Jack e deixarei os outros dois à própria sorte, pois não acho que eram boas pessoas.

Jack subiu colinas, andou por vales e montanhas, embrenhou-se em florestas fechadas, seguiu caminhos de rebanhos e nunca ousava avançar durante a noite.

Por fim, chegou até uma velha casa perto de uma grande floresta, e encontrou lá um velho sentado à porta com uma aparência assustadora; o velho lhe disse:

– Bom dia, filho do rei.

– Bom dia, meu senhor – respondeu o jovem príncipe, muito assustado com o homem, mas evitando demonstrar seu medo.

O velho pediu que desmontasse, entrasse na casa para descansar e pusesse o cavalo no estábulo. Jack se sentiu muito melhor depois que comeu e perguntou ao velho como sabia que era filho de rei.

– Oh, céus! – exclamou o velho. – Sei que é filho de rei e sei qual é seu objetivo melhor do que pensa. Deverá passar a noite aqui e, quando estiver deitado, não se assuste com nada do que irá ouvir. Muitas rãs e cobras surgirão e algumas tentarão entrar nos seus olhos e boca, mas não se mexa ou irá se transformar em um bicho como eles.

O pobre Jack não sabia o que pensar, porém de qualquer jeito resolveu se deitar para dormir um pouco. As rãs vieram e as cobras se enroscaram por cima e por debaixo dele, mas ele não se mexeu nenhum pouco durante a noite.

– Meu jovem, como se sente esta manhã? – perguntou o velho.

– Oh, bem, obrigado, mas não descansei muito.

– Ora, não tem importância; até agora se comportou muito bem, mas ainda há muito para superar até conseguir as maçãs douradas para levar ao seu pai. É melhor tomar seu café da manhã antes de começar sua jornada para a casa de meu irmão. Você deixará seu cavalo aqui comigo até regressar e então me contará como se saiu.

O velho lhe deu um cavalo descansado e um novelo de lã que colocou entre as orelhas do animal para dar sorte.

Lá se foi o príncipe galopando como o vento, ou mais rápido ainda, até que chegou à casa do segundo irmão mais velho.

Quando se aproximou da entrada, recebeu a mesma saudação do velho que encontrara, porém esse era ainda mais feio que o primeiro. Tinha cabelos longos e grisalhos, os dentes compridos saíam da boca, e as unhas das mãos e dos pés não eram cortadas havia séculos. O velho acomodou o cavalo em um bom estábulo e convidou Jack para entrar, oferecendo muita comida e bebida, e conversaram um pouco antes de irem para a cama.

– Bem, meu jovem – disse o velho –, é um dos filhos do rei que veio procurar as maçãs douradas para a cura de seu pai, não é?

– Sim, sou o caçula de três irmãos e gostaria de conseguir as maçãs para voltar para casa.

– Relaxe, meu rapaz. Antes de ir para a cama hoje, irei contatar meu irmão mais velho e direi a ele o que você deseja; ele sabe muito bem indicar o lugar onde poderá conseguir as maçãs. Porém tome cuidado para não se mexer hoje à noite por mais que seja surrado e picado, do contrário muito mal o atingirá.

O jovem foi dormir e aguentou tudo quietinho como na noite anterior, levantando pela manhã muito bem. Depois de um bom café da manhã, trouxeram-lhe um novo cavalo descansado e um novelo de lã para colocar entre as duas orelhas do animal.

O homem lhe disse para montar logo e procurar seu irmão mais velho sem se atrasar com nada.

– Pois ainda tem muito que fazer em pouco tempo.

O príncipe colocou o novelo de lã entre as orelhas do cavalo e partiu como um raio para a casa do irmão mais velho, e este o recebeu com muita bondade, dizendo que há muito tempo desejava conhecê-lo e que Jack iria se sair bem nas suas tarefas e voltar são e salvo para reencontrar o rei.

– Esta noite – disse – vou lhe dar descanso; nada o incomodará para que não fique sonolento amanhã. Precisará se levantar cedo, pois terá que ir e voltar no mesmo dia. Não haverá lugar para descansar por centenas de quilômetros, e, se você parar, correrá muito perigo e se arriscará a jamais voltar na sua forma humana. Agora, meu jovem príncipe, preste atenção no que vou lhe dizer. Amanhã, quando avistar um grande castelo cercado de água negra, a primeira coisa que deverá fazer será amarrar seu cavalo a uma árvore; e então verá três lindos cisnes e dirá: "Cisnes, cisnes, carreguem-me em nome de Griffin de Greenwood", e os cisnes o levarão pela água até terra firme. Você verá três grandes entradas, a primeira protegida por quatro enormes gigantes com espadas nas mãos, a segunda por leões, e a terceira por serpentes e dragões que cospem fogo. Deverá chegar lá exatamente à uma hora, e precisa sair de lá exatamente às duas horas e nem um minuto a mais. Quando os cisnes o carregarem para o castelo, deverá passar por todos esses monstros profundamente adormecidos, e não se importe com eles. Quando entrar, vire à direita; subirá, verá grandes cômodos, depois descerá, passará pela cozinha e, pela porta à esquerda, entrará em um jardim onde encontrará as maçãs que deseja para a saúde de seu pai. Depois de encher sua sacola, saia bem depressa e chame pelos cisnes para que o carreguem como antes. Depois que montar no seu cavalo protegido pelo novelo de lã, se ouvir gritos ou qualquer outro barulho, não olhe para trás, já que irão segui-lo por centenas de quilômetros; mas quando o tempo estiver se esgotando e chegar à minha casa, tudo terá terminado. Bem, agora já sabe o que deve fazer amanhã e não se esqueça, seja lá o que fizer, não fique olhando em volta quando encontrar todas aquelas criaturas assustadoras dormindo, fique calmo e trate de se apressar para voltar para cá. Agora gostaria de saber como estão os meus dois irmãos e o que disseram a meu respeito.

– Na verdade, quando deixei Londres, meu pai estava doente e disse que eu deveria vir aqui para procurar as maçãs douradas, pois são as únicas que poderão curá-lo. E quando cheguei à casa de seu irmão caçula, ele me contou muita coisa que deveria fazer antes de vir aqui. E pensei que seu irmão caçula me dera a cama errada, deixando cobras para me atormentar durante toda a noite, até que seu segundo irmão me disse que "tinha que ser assim e será o mesmo aqui", mas acrescentou que eu não teria problema na cama da terceira casa.

– Bem, vamos dormir. Não tenha medo. Não há cobras aqui.

O rapaz foi dormir e teve uma boa noite de sono, acordando na manhã seguinte descansado e sentindo-se muito bem. Depois do café da manhã, lá veio outro cavalo, e o velho começou a rir e disse ao rapaz que se ele visse uma jovem bonita não ficasse muito tempo na sua companhia, porque ela poderia despertar, e então Jack teria que ficar com ela para sempre ou se transformaria em um daqueles monstros infernais à entrada do castelo.

– Ha! Ha! Ha! O senhor me faz rir tanto que mal consigo colocar a sela no cavalo. Acredite, vou me sair bem, senhor, mesmo se encontrar uma bela jovem.

– Bem, veremos, meu rapaz.

Então o príncipe montou no cavalo árabe e partiu como uma bala de canhão.

Por fim, avistou o castelo. Amarrou o cavalo em uma árvore e consultou seu relógio. Faltavam quinze minutos para uma hora e chamou:

– Cisnes, cisnes, carreguem-me por cima da água, em nome do velho Griffin de Greenwood.

Dito e feito. Dois cisnes de cada lado e um na frente o levaram bem depressa. Chegou à terra firme e caminhou em silêncio entre todos os gigantes, leões, serpentes que soltavam fogo, e muitos outros monstros terríveis, tantos que nem é possível mencionar, e que dormiam profundamente. Jack só tinha uma hora para realizar seu trabalho. Entrou no castelo, virou à direita, subiu as escadas correndo e entrou em um espaçoso quarto onde encontrou uma linda princesa deitada em uma cama dourada, dormindo. Fitou-a com admiração, tirou uma liga de sua perna e colocou na sua própria perna; também tirou seu relógio de ouro e o lenço, trocando-os pelos seus; depois ousou lhe dar um beijo, e ela quase acordou.

Vendo que o tempo corria, ele desceu às pressas e, passando pela cozinha a fim de chegar ao jardim com as maçãs, viu a cozinheira dormindo deitada no meio do chão com a faca em uma das mãos e o garfo na outra.

Ele encontrou as maçãs e encheu a sacola; e ao passar pela cozinha, a cozinheira quase acordou, e ele correu como nunca, já que o tempo estava se esgotando; chamou pelos cisnes, que se esforçaram para carregá-lo de novo, porque estava mais pesado que antes por causa das maçãs.

Assim que montou seu cavalo, ouviu um barulho tremendo. O encanto se quebrara, e os monstros tentavam segui-lo, mas em vão. O príncipe não demorou a chegar à casa do irmão mais velho e ficou muito contente, porque o barulho dos monstros que o perseguiam o deixaram apavorado.

– Bem-vindo, meu rapaz – saudou o velho. – Estou orgulhoso de você! Desmonte, leve o cavalo para a estrebaria e entre para se refrescar. Deve estar com fome depois do que passou naquele castelo. E me conte tudo que fez e viu lá. Outros filhos de reis passaram por aqui a caminho do castelo, mas nunca voltaram vivos, e você foi o único que quebrou o feitiço. Agora deve vir comigo com a espada na mão para cortar minha cabeça e jogá-la no poço.

O jovem príncipe desmontou, colocou o cavalo na estrebaria, e foram se refrescar dentro de casa, pois ele estava precisando descansar. Depois que contou tudo que acontecera, o velho ficou muito contente, e os dois foram dar um passeio juntos. O príncipe olhou em volta e refletiu que o lugar estava em péssimo estado, assim como o velho. Mal conseguia andar em meio à vegetação que se prendia nas unhas dos dedos dos seus pés, curvas como chifres de carneiros, e nos cabelos longos.

Chegaram a um poço, e o velho entregou uma espada para o príncipe, dizendo que cortasse sua cabeça e a atirasse no poço. Contra sua vontade, o jovem precisou obedecer.

Assim que atirou a cabeça no poço, surgiu à sua frente um jovem muito elegante no lugar do velho. No lugar da antiga casa e seus arredores assustadores, surgiu uma linda mansão. E os dois voltaram a caminhar e se divertiram rindo muito sobre as peripécias no castelo.

O jovem príncipe deixou o outro jovem cavalheiro, que lhe disse antes de se despedirem que o veria de novo em breve. Apertaram as mãos como amigos, e lá se foi o príncipe Jack encontrar o próximo irmão mais velho, e para encurtar minha história, precisou agir da mesma maneira, cortando sua cabeça.

Por fim, encontrou o mais novo dos irmãos, que lhe perguntou por notícias.

– Viu meus outros dois irmãos?

– Sim.

– Como estavam?

– Oh! Muito bem. Gostei deles. Ajudaram-me muito, explicando com detalhes tudo que eu deveria fazer.

– E você foi a castelo?

– Sim, senhor.

– E pode me dizer o que viu ali? Viu a linda jovem?

– Sim, eu a vi, e vi também muitos seres assustadores.

– Sentiu uma cobra mordendo você quando dormiu na cama do meu irmão mais velho?

– Não. Lá dormi muito bem.

– Hoje dormirá em uma cama melhor aqui. E terá de cortar minha cabeça também, antes de partir.

O príncipe dormiu bem, e, pela manhã, depois que cortou a cabeça do amigo, a casa se transformou em uma linda mansão e as terras ao redor ficaram deslumbrantes. Como os outros dois irmãos, esse velho se transformou em um jovem também, e apertou a mão de Jack, dizendo que possivelmente se veriam de novo quando menos esperasse. E lá se foi Jack subindo colinas, passando por vales e montanhas, e quase perdendo suas maçãs.

Por fim, chegou à encruzilhada onde deveria se encontrar com os irmãos no dia marcado. Mas lá chegando não viu sinal de cavalos e, muito cansado, sentou-se e dormiu, amarrando antes o cavalo à sua perna e usando as maçãs como travesseiro para protegê-las. Logo os outros irmãos chegaram e o encontraram dormindo; como não queriam acordá-lo, disseram entre si:

– Vamos ver que tipo de maçã está debaixo de sua cabeça.

Então pegaram, provaram e viram que tinham gosto diferente das deles. Trocaram suas maçãs pelas de Jack e galoparam para Londres o mais depressa possível, deixando o pobre príncipe adormecido.

Pouco depois ele acordou e, vendo os rastros de outros cavalos, montou e partiu sem saber que as maçãs haviam sido trocadas. Ainda tinha muito que viajar e quando por fim se aproximou de Londres ouviu todos os sinos da cidade repicando, mas não soube o motivo.

Quando chegou ao palácio, disseram-lhe que seu pai se recuperara com as maçãs que os irmãos haviam trazido. Soube que seus irmãos estavam exercitando no jardim, e ao encontrar o pai, o rei ficou feliz ao ver o filho caçula e ansioso para experimentar também as maçãs que ele trouxera. Mas quando provou e sentiu que não eram boas e poderiam envenená-lo, chamou o carrasco para decapitar Jack, que foi levado em uma carruagem, porém, em vez de o carrasco decapitá-lo, levou o príncipe para uma floresta não muito longe da cidade, porque teve pena, e o deixou à própria sorte. Logo surgiu um grande urso peludo, capengando em três patas. O príncipe subiu em uma árvore com medo da fera, mas o urso lhe disse para descer e explicou que não havia motivo para ele ficar ali na floresta. Depois de muita persuasão, o pobre Jack desceu, e o urso lhe disse:

– Venha comigo. Não lhe farei mal algum. É melhor que venha e descanse. Sei que deve estar com fome.

O príncipe respondeu:

– Não estou com fome, mas fiquei com muito medo quando o vi se aproximar porque não tinha para onde fugir.

E o urso disse:

– Também fiquei com medo quando vi aquele homem tirar você da carruagem. Pensei que estivesse armado e que não hesitaria em me matar se me visse. Mas quando o outro foi embora, deixando-o sozinho, tomei coragem e me aproximei para ver quem era, e agora sei quem você é. O filho caçula do rei, certo? Já vi você, seus irmãos e outros cavalheiros nesta floresta muitas vezes. Antes de partirmos, devo lhe dizer que estou disfarçado. Agora vou levá-lo.

O jovem príncipe contou toda a sua história para o urso, do início ao fim; como fora a procura pelas maçãs, o encontro com os três velhos e a visita ao castelo, como por fim fora recebido pelo pai ao voltar, e como o carrasco fora bondoso em não cortar sua cabeça e o deixar viver.

– E agora aqui estou sob a sua proteção.

O urso disse:

– Venha, meu irmão; nenhum mal o atingirá enquanto estiver comigo.

Então levou Jack para o acampamento cigano, e quando as meninas o viram começaram a rir e a dizer:

– Aí vem o nosso Jubal com um jovem cavalheiro.

Quando os dois se aproximaram das tendas, os ciganos viram que se tratava do jovem que já passara por ali muitas vezes. E quando Jubal entrou na tenda para tirar o disfarce, chamou os ciganos e pediu que todos fossem gentis com o príncipe. E assim fizeram, pois não havia nada que Jubal desejasse que não conseguisse, e Jack se sentiu bem como se estivesse no palácio real com os pais.

Depois de tirar seu disfarce peludo, Jubal apareceu como um dos mais belos jovens do acampamento e se tornou o melhor amigo do príncipe Jack, que era sempre sociável e animado e só lamentava não estar com o relógio de ouro que tirara da princesa no castelo e que perdera não sabia onde.

Jack passou muitos dias felizes na floresta, porém certo dia ele e Jubal caminhavam em meio às árvores quando chegaram ao mesmo lugar onde haviam se conhecido e, por acaso, ao erguer os olhos, Jack viu o relógio pendendo da árvore onde subira para fugir do urso. Então gritou:

– Jubal, Jubal, posso ver meu relógio em cima daquela árvore.

– Que sorte! – exclamou Jubal. – Quer que eu vá buscar para você?

– Não, eu mesmo irei – disse o príncipe.

Enquanto tudo isso acontecia, a jovem princesa no castelo, sabendo que um dos filhos do rei da Inglaterra estivera ali e que trocara seu relógio e sua liga, preparou-se com um grande exército e rumou para a Inglaterra por mar. Deixou seu exército perto da cidade e se dirigiu com alguns guardas ao palácio para ver o rei e seus filhos.

O rei e ela conversaram por longo tempo e sobre vários assuntos. Por fim, ela exigiu que um de seus filhos fosse chamado a sua presença. Aproximou-se o filho mais velho, e ela perguntou:

– Você já esteve no castelo de Melvales?

Ele respondeu:

– Sim.

Então a princesa atirou um lenço de bolso no chão e pediu que ele andasse por cima sem tropeçar. O príncipe obedeceu, mas assim que pôs o pé em cima do lenço, caiu e quebrou a perna. Foi logo capturado e aprisionado pelos próprios guardas da princesa.

O outro irmão foi chamado, e ela fez a mesma pergunta e o fez caminhar por cima do lenço, e esse também caiu e foi aprisionado.

Então a princesa disse ao rei:

– Tem outro filho, senhor?

O rei começou a tremer e apertar as mãos sem saber o que dizer de tanto medo. Por fim, teve uma ideia e chamou o carrasco, perguntando se ele cortara a cabeça de Jack ou se o deixara viver.

– Ele está salvo, ó rei.

– Então traga-o aqui imediatamente.

Dois dos cavalos mais velozes do reino foram atrelados à carruagem para procurar o pobre príncipe. E quando chegaram ao lugar onde Jack fora deixado, era exatamente o momento em que ele estava em cima da árvore, pegando o relógio, com Jubal parado ali perto.

Os soldados perguntaram para o urso se ele vira algum rapaz na floresta. Jubal vendo a carruagem real não desejou negar, e disse que sim, apontando para o alto da árvore. Então os soldados pediram que Jack descesse imediatamente porque uma jovem dama desejava vê-lo.

– Ha! Ha! Ha! Jubal, já ouviu algo assim na sua vida, meu irmão?

Os soldados perguntaram, espantados:

– Chama o urso de irmão?

– Ele foi mais bondoso comigo que meus próprios irmãos.

– Então pela sua bondade poderá acompanhá-lo ao palácio e vamos ver o que acontece.

Chegando ao palácio, o príncipe lavou-se e foi até a princesa, que lhe perguntou se já fora ao castelo de Melvales. Sorrindo, ele acenou que sim. Então a dama pediu:

– Caminhe sobre aquele lenço sem tropeçar.

Ele caminhou para cima e para baixo, dançou em cima do lenço e nada de mal lhe aconteceu.

A princesa disse com um sorriso orgulhoso e ar feliz:

– É este o jovem.

E apresentou os objetos que ele havia trocado.

Logo pediu que trouxessem uma grande caixa e de lá retirou as vestimentas mais caras que um imperador já usara. O príncipe se vestiu com elas, e o rei mal podia olhar na sua direção tamanho o brilho do ouro e dos diamantes no seu casaco.

A princesa pediu para Jack acompanhá-la até seu país, mas antes foi ao acampamento do urso e deu presentes maravilhosos aos ciganos para retribuir pela bondade que haviam demonstrado com o jovem príncipe. Depois convidou Jubal para seguir com eles, e Jubal aceitou, despedindo-se com carinho dos ciganos e prometendo visitá-los em breve.

Voltaram a ver o rei e se despediram, aconselhando que ele da próxima vez não fosse tão apressado em mandar decapitar pessoas sem antes conhecer a verdade. A princesa seguiu com seu exército, Jack e Jubal, mas antes que os soldados erguessem as tendas para pernoitar, Jack se lembrou da sua harpa e pediu que a trouxessem em uma linda caixa de madeira.

Antes de chegar ao reino da princesa, visitaram os três velhos que tinham voltado a ser jovens e que haviam ajudado Jack na sua aventura ao castelo de Melvales. E posso garantir a vocês que quando todos se viram de novo fizeram muita festa e se divertiram muito, e aqui acaba a nossa história.

Rei João e o abade de Canterbury

No reino do rei João morava o abade de Canterbury, que mantinha importantes propriedades ao redor da abadia. Cem de seus homens jantavam todos os dias com o abade no refeitório, e cinquenta cavaleiros com paletós de veludo e alamares de ouro os serviam diariamente. O rei João, não sei se vocês sabem, era um rei muito mau e não suportava a ideia de que qualquer um em seu reino, por mais santo, fosse reverenciado mais do que ele. Então chamou o abade de Canterbury à sua presença.

O abade veio de boa vontade acompanhado de cinquenta cavaleiros com seus paletós de veludo e alamares de ouro. O rei foi recebê-lo e disse:

– E então, abade? Ouvi dizer que possui mais propriedades do que eu. Isso não é bom para a dignidade real, e me cheira à traição.

– Meu soberano – respondeu o abade, curvando-se exageradamente. – Digo que tudo que tenho me foi dado de livre vontade pelo povo piedoso, e espero que Sua Graça não leve isso a mal, pois só gasto para o bem da abadia o que pertence à abadia.

– Está enganado, orgulhoso prelado – respondeu o rei –, pois tudo que existe no belo reino da Inglaterra é meu, e você não tem direito de me envergonhar mantendo tantos bens. Entretanto, como sou clemente, irei poupar sua vida e suas propriedades se me responder três perguntas.

– Assim farei, meu soberano – disse o abade –, se for capaz.

– Muito bem – disse o rei –, diga-me onde fica o centro do mundo; depois me diga em quanto tempo poderei dar a volta ao mundo e, finalmente, diga o que estou pensando.

– Vossa Majestade está brincando – vacilou o abade.

– Verá que não – replicou o rei. – E a menos que me responda essas três perguntas no prazo de uma semana, mandarei cortar sua cabeça. – E deu as costas.

O abade foi embora tremendo de medo e foi a Oxford para ver se algum sábio poderia lhe dar as repostas para aquelas perguntas, mas ninguém pôde ajudá-lo, e ele retornou a Canterbury, triste e desanimado, para se despedir dos outros monges. Mas no caminho encontrou seu pastor que ia até uma pequena colina.

– Bem-vindo ao lar, senhor abade – saudou o pastor. – Que notícias traz do bom rei João?

– Notícias tristes, bem tristes, meu pastor – respondeu o abade e contou o que havia acontecido.

– Anime-se, senhor abade – disse o pastor. – Às vezes um tolo consegue responder o que um sábio não consegue. Irei a Londres no seu lugar, empreste-me apenas suas roupas e seus cavaleiros. Pelo menos terei a honra de morrer no seu lugar.

– Não, pastor, não – disse o abade. – Preciso ter coragem de enfrentar o perigo, portanto você não poderá se passar por mim.

– Posso e farei, senhor abade. Se eu usar um capuz, quem dirá que não sou o senhor?

Então por fim o abade consentiu e enviou o pastor para Londres com todo o aparato, e o pastor se aproximou do rei João com toda a sua comitiva como antes, mas usando as roupas simples de monge e o capuz cobrindo seu rosto.

– Bem-vindo, abade – disse o rei João. – Vejo que está preparado para sua sentença.

– Estou pronto para responder às perguntas de Vossa Majestade.

– Então, responda à primeira pergunta: onde fica o centro do mundo? – perguntou o rei.

– Aqui – disse o pastor disfarçado de abade, cravando seu cajado no chão. – E se Vossa Majestade duvida, mande medir.

– Pelos santos! – exclamou o rei. – Uma resposta divertida e esperta. Agora a segunda pergunta: em quanto tempo posso dar a volta ao mundo?

– Caso Vossa Majestade se levante quando amanhecer e ande a cavalo seguindo o percurso do sol até a manhã seguinte, sem dúvida terá dado a volta.

– Por São João! – riu o rei. – Não sabia que podia fazer isso. Mas vamos deixar para lá, e me responda a terceira e última pergunta: o que estou pensando?

– Essa é fácil, Vossa Graça. Pensa que sou, meu senhor, o abade de Canterbury, mas, como pode ver – e tirou o capuz –, sou apenas seu humilde pastor, e vim pedir perdão para mim e para o abade.

O rei João riu ainda mais alto.

– Muito bem. Você tem mais cérebro do que o abade, e será abade no lugar dele.

– Não, de jeito nenhum – disse o pastor –, pois não sei ler nem escrever.

– Bem, então terá quatro nobres para servi-lo por causa de sua inteligência, e diga ao abade que eu o perdoo. – E assim dizendo, o rei João mandou embora o pastor com um justo presente, além de sua aposentadoria.

Casaco de Palha

Era uma vez um rei e uma rainha como muitos outros, apesar de vermos poucos por aí. A rainha faleceu e deixou uma linda filha única, e disse à menina no leito de morte:

– Minha querida, depois que eu partir, um bezerrinho vermelho irá aparecer para você e sempre que quiser alguma coisa fale com ele, e o bezerro lhe dará.

Depois de certo tempo, o rei se casou de novo com uma mulher de mau caráter que tinha três filhas feias. E as quatro odiavam a filha do rei, porque era muito bonita. Então tiraram todas as suas belas roupas, deram-lhe apenas um casaco feito de palha, a chamavam de Casaco de Palha e a faziam sentar-se a um canto da cozinha no meio das cinzas. E quando chegava a hora do jantar, a madrasta malvada lhe mandava um dedal de caldo, um grão de cevada, um fiapo de carne e uma crosta de pão. Quando a menina acabava de comer essas migalhas continuava com muita fome, então dizia para si mesma: "Oh! Como gostaria de ter alguma coisa boa para comer".

Então, quem é que aparecia, se não um bezerrinho vermelho que dizia para ela:

– Coloque o dedo na minha orelha esquerda.

Assim ela fazia e encontrava um belo pão. Então o bezerro lhe dizia para colocar o dedo na sua orelha direita, e ali ela encontrava queijo e conseguia uma boa refeição de pão com queijo. Assim os dias se seguiam.

A esposa do rei pensou que Casaco de Palha logo morreria com a pouca comida que lhe dava, e ficava surpresa ao ver como a princesa estava animada e saudável sempre. Então pediu que uma de suas filhas feias vigiasse Casaco de Palha na hora das refeições para descobrir como conseguia sobreviver. Logo a filha descobriu que o bezerro vermelho trazia comida para a jovem, e contou à mãe. Então a rainha procurou o rei e disse que estava com vontade de comer o fígado de um bezerro vermelho, e o rei mandou chamar o açougueiro para matar o bichinho. Quando Casaco de Palha soube disso, sentou-se e chorou ao lado do bezerrinho, que pouco antes de morrer lhe disse:

> Levante-me, osso a osso,
> E me ponha debaixo da pedra cinza;
> Quando quiser alguma coisa
> Diga-me e eu lhe darei.

Ela obedeceu, mas não conseguiu encontrar o osso da canela do bezerro.

No domingo seguinte começava o período das festas natalinas, e todo o povo iria à igreja com suas melhores roupas, então Casaco de Palha disse:

– Oh! Como gostaria de ir à igreja também.

Mas as três irmãs feias perguntaram:

– O que vai fazer na igreja, sua menina horrorosa? Deve ficar em casa e preparar o jantar.

E a mulher do rei disse:

— E deve fazer a sua sopa com apenas um dedal de água, um grão de cevada, um fiapo de carne e uma crosta de pão.

Quando todos foram à igreja, Casaco de Palha sentou-se e chorou. Mas, erguendo os olhos, quem viu entrando na cozinha, mancando por causa da canela que faltava? Seu querido bezerro vermelho! E o bezerro lhe disse:

— Não fique aí sentada chorando. Arrume-se e vá à igreja com estas roupas que eu trouxe e, principalmente, calce estes sapatos de vidro.

— Mas quem vai preparar o jantar? – perguntou ela.

— Oh, não se preocupe com isso – disse o bezerro vermelho. – Só precisa dizer para o fogo:

Que o carvão cozinhe,
Que o espeto vire,
Que a panela ferva,
Até que eu volte da igreja.

— Vá agora, mas lembre-se de chegar em casa antes dos outros.

Então Casaco de Palha repetiu as palavras, rumou para a igreja com as roupas novas e foi a dama mais elegante e bela ali. Acontece que um jovem príncipe estava na igreja e se apaixonou à primeira vista por ela. Mas Casaco de Palha saiu antes que a cerimônia terminasse, e estava em casa antes de todos os outros. Despiu as roupas elegantes, vestiu seu casaquinho de palha e alegrou-se muito quando viu que o bezerro pusera a mesa e preparara o jantar. Tudo estava em ordem quando os outros chegaram.

As três irmãs disseram para Casaco de Palha:

— Ei, garota, se tivesse ido à igreja, teria visto a bela dama por quem o jovem príncipe se apaixonou!

— Oh! Deixem-me ir com vocês amanhã – pediu Casaco de Palha, pois era costume irem três dias seguidos à igreja nas festividades natalinas.

Mas as feias responderam:

— O que uma criatura feia e malvestida como você faria na igreja? A cozinha é o seu lugar.

No dia seguinte, todos foram à igreja, e Casaco de Palha foi deixada para trás a fim de preparar o jantar com mais um dedal de água, um grão de cevada, uma crosta de pão e um fiapo de carne. Mas o bezerro vermelho veio em seu auxílio de novo, deu-lhe roupas ainda mais bonitas, e ela foi à igreja onde todos a olharam, imaginando de onde viera uma dama tão elegante, e o príncipe, apaixonado, tentou descobrir para onde ela ia depois que saía da igreja. Mas a menina foi mais rápida e chegou a casa muito antes dos demais, enquanto o bezerro vermelho ainda preparara o jantar.

No dia seguinte, o bezerro a vestiu com roupas lindas, e Casaco de Palha foi à igreja. Lá estava o jovem príncipe também, porém dessa vez ele mandou um guarda ficar na porta para a menina não fugir, mas ela tomou impulso, correu e pulou por cima da cabeça de todos que estavam em seu caminho. Ao fazer isso, um dos sapatos de vidro saiu do seu pé. Podem ter certeza de que ela não perdeu tempo para pegar o sapato e correu para casa o mais depressa possível, vestindo seu casaquinho de palha enquanto o bezerro providenciava o jantar.

Então o príncipe mandou avisar o povo de que se casaria com a moça que calçasse o sapato de vidro. As damas da corte quiseram experimentar o sapato, mas era pequeno demais para todas elas. O príncipe ordenou que um de seus embaixadores montasse um cavalo veloz e galopasse pelo reino todo para encontrar a dona do sapato de vidro.

O embaixador galopou e galopou de cidade em cidade e fez todas as moças experimentarem o sapato. Todas queriam ser a noiva do príncipe, mas o sapato não servia em nenhuma delas, e muitas choraram de tristeza.

O embaixador prosseguiu a busca até que chegou onde moravam as três irmãs feias. As duas primeiras tentaram calçar o sapato, mas não deu certo. Então a mãe, louca de raiva e despeito, cortou os dedos dos pés e os calcanhares da terceira filha, que por fim conseguiu calçar o sapato. O príncipe foi trazido ali para se casar com ela e manter sua promessa. A irmã feia se vestiu com as melhores roupas e montou na garupa do cavalo do príncipe para irem ao castelo dele com muita pompa.

Mas vocês sabem que orgulho desmedido leva ao fracasso, porque, enquanto seguiam caminho, um corvo cantou alto desde um galho de árvore:

> Calcanhares e dedos cortados
> Seguem na garupa do príncipe,
> Mas os lindos e pequenos pés
> Escondem-se atrás do caldeirão.

– O que é isso que o pássaro está cantando? – perguntou o príncipe.

– É um pássaro ruim e mentiroso – disse a irmã feia. – Não dê atenção ao que ele canta.

Mas o príncipe ficou intrigado e olhou para o pé da moça e viu que havia sangue no sapato de vidro. Percebendo que fora enganado, deu meia-volta e levou a irmã feia para casa de novo e a fez apear do cavalo, dizendo:

– Deve haver alguém aqui que ainda não experimentou o sapato.

– Oh, não – responderam as irmãs –, só há uma menina suja que se senta a um canto da cozinha e usa um casaco de palha.

Mas o príncipe estava determinado a experimentar o sapato de vidro nela também. Ao ouvir isso, Casaco de Palha correu para a pedra cinza onde ficava o bezerro vermelho e pediu-lhe o vestido mais maravilhoso. Então ela caminhou para encontrar o príncipe, e o sapato na mesma hora pulou para fora do bolso dele e serviu perfeitamente no pé da moça sem esforço e sem truques. O príncipe se casou com ela no mesmo dia e viveram felizes para sempre.

O rei dos gatos

Em uma noite de inverno, a esposa do sineiro estava sentada junto à lareira tendo ao lado seu grande gato preto, Velho Tom, ambos dormitando e esperando que o patrão chegasse a casa. Esperaram e esperaram, mas ele não chegava, até que por fim entrou correndo:

– Quem é Tom Tildrum? – gritou de modo tão violento e repentino que a esposa e o gato o fitaram assustados, sem nada entender.

– Qual o problema? – perguntou a esposa. – Por que quer saber quem é Tom Tildrum?

– Oh, aconteceu uma coisa tão engraçada. Estava pensando junto ao túmulo do velho senhor Fordyce e dormi, e só acordei quando ouvi um gato: *miau*.

– *Miau*! – repetiu o Velho Tom.

– Foi assim mesmo! Então olhei para a beirada do túmulo e o que acha que vi?

– Como posso saber? – perguntou a esposa.

– Ora, nove gatos pretos iguaizinhos ao nosso Velho Tom, todos com uma mancha branca no peito. E o que acha que estavam carregando?

Ora, um pequeno caixão coberto com um manto de veludo negro, e no manto estava bordada uma pequena coroa de ouro e a cada passo os gatos choravam juntos: *miau*.

– *Miau!* – miou o Velho Tom de novo.

– Sim, isso mesmo! – exclamou o sineiro. – E enquanto os gatos se aproximavam cada vez mais pude vê-los melhor, pois seus olhos brilhavam com uma luz esverdeada. Bem, todos chegaram perto de mim, oito deles carregando o caixão, e o maior gato entre todos caminhando na frente. Mulher, olhe para o nosso Tom. Veja como presta atenção no que digo. Parece que sabe a história.

– Continue – pediu a esposa –, não ligue para o Velho Tom.

– Bem, como dizia, chegaram perto de mim devagar e solenemente, e a cada três passos gritavam: *miau*.

– *Miau!* – repetiu o Velho Tom.

– Sim, assim mesmo, até que pararam do lado oposto do túmulo do senhor Fordyce onde eu estava, ficaram muito quietos e olharam diretamente para mim. Ora, senti-me esquisito! Mas veja o Velho Tom, mulher. Está olhando para mim como os outros gatos olharam.

– Continue, continue – pediu a mulher –, não ligue para o Velho Tom.

– Onde é que eu estava? Ah, ficaram todos parados me olhando quando o que não carregava o caixão se adiantou, olhou-me fixamente e disse... sim, disse para mim com um guincho estridente:

"Diga a Tom Tildrum que Tim Toldrum está morto." E continuou: "Por isso perguntei se sabe quem é Tom Tildrum, pois como direi a Tom Tildrum que Tim Toldrum está morto se não o conheço?"

– Olhe para o Velho Tom, olhe para o Velho Tom! – gritou a mulher.

E o marido olhou, pois o gato inchava, inchava, olhava para eles e por fim gritou:

– Ora, o velho Tim morreu! Então agora sou o Rei dos Gatos!

Assim dizendo, correu para a chaminé, subiu e nunca mais foi visto.

Tomasino

O jovem Tomasino era filho do conde Murray; e a jovem Janet, filha de Dunbar, conde de March. E ainda crianças eles se amavam e prometeram se casar. Mas quando se aproximou o dia do casamento, Tomasino desapareceu e ninguém sabia o que acontecera com ele.

Muitos e muitos dias depois de seu desaparecimento, a jovem Janet perambulava pelo bosque de Carterhaugh, embora tivesse sido avisada para não andar por lá. Enquanto caminhava, arrancava as flores dos ramos; por fim chegou a um arbusto de pequenas flores amarelas e começou a arrancá-las. Mal tirara três flores quando ao seu lado surgiu o jovem Tomasino.

– De onde você veio, Tomasino? – perguntou a jovem Janet. – E por que sumiu por tanto tempo?

– Venho da Terra dos Elfos – respondeu o jovem Tomasino. – A rainha dos Elfos me fez seu cavaleiro.

– Mas como foi parar lá, Tomasino? – quis saber a jovem Janet.

– Certo dia, estava caçando, enquanto caminhava no sentido anti-horário em volta da colina, senti uma sonolência incrível e quando despertei estava na Terra dos Elfos. É uma terra bonita e feliz, e eu não voltaria para cá a não ser por você. A cada sete anos os Elfos pagam o dízimo para o Mundo dos Mortos, e por mais que a rainha goste de mim, temo que eu serei o próximo dízimo.

– Oh, não pode ser salvo? Diga-me se posso salvá-lo, Tomasino?

– Só existe um modo de me salvar. Amanhã será o Dia das Bruxas, e a corte das fadas irá percorrer a Inglaterra e a Escócia, e se quer me tirar da Terra dos Elfos deve ir para a Encruzilhada Miles entre meia-noite e uma hora da manhã e levar água benta para desenhar um círculo ao seu redor.

– Mas como saberei onde você estará, Tomasino? – perguntou a jovem Janet. – Entre tantos cavaleiros que nunca vi antes?

– O primeiro grupo de Elfos você deixará passar. Faça uma reverência para o segundo grupo, mas não diga nada. O terceiro grupo a passar será o principal, e à frente virá a rainha da Terra dos Elfos. Eu estarei cavalgando ao lado dela um corcel branco como leite. Olhe para minhas mãos, Janet, a direita estará com uma luva, a esquerda não, e por isso você me reconhecerá.

– Mas como poderei salvá-lo, Tomasino? – insistiu Janet.

– Precisa surgir na minha frente de repente, e eu cairei no chão. Então me segure depressa e seja lá qual for a transformação em mim, porque irão usar todas as suas mágicas, agarre-me com força até que me transformem em ferro em brasa. Então, me atire na água, e eu me transformarei de novo em um homem. Depois jogue seu manto verde sobre mim, e serei seu para sempre, voltarei para o nosso mundo.

Então a jovem Janet prometeu agir exatamente como Tomasino dissera. Na noite seguinte à meia-noite se postou na Encruzilhada Miles e fez um círculo ao seu redor com água benta.

Em breve surgiu a corte dos Elfos. De início, sobre o monte apareceu um grupo de corcéis negros, e depois outro de cavalos marrons, e no terceiro grupo, composto por cavalos brancos como leite, ela viu a rainha dos Elfos e ao seu lado um cavaleiro com uma estrela na coroa, a mão direita com uma luva, e a esquerda sem nada. Então ela soube que era Tomasino e, se lançando para frente, agarrou as rédeas do corcel branco e derrubou o cavaleiro. Assim que ele tocou o chão, Janet largou as rédeas e o segurou nos braços.

— Ele venceu, venceu todos nós — gritaram os elfos anciãos, e todos rodearam Janet e lançaram seus feitiços sobre Tomasino.

Primeiro o transformaram em gelo nos braços de Janet, e depois em uma enorme chama incandescente. Depois o fogo desapareceu, e uma víbora se enrolou nos braços dela, mas mesmo assim Janet aguentou firme; a seguir, o transformaram em uma cobra enorme que mostrou as presas como se quisesse morder Janet, mas o tempo todo ela continuou segurando-o firme.

De súbito, uma pomba se debateu nos braços dela e quase voou. A seguir, transformaram Tomasino em um cisne, mas Janet não o soltou, até que por fim ele foi transformado em ferro em brasa, e então Janet o atirou em um poço e ele se transformou em um homem de novo, despido como viera ao mundo. Janet atirou depressa seu manto verde sobre suas costas, e o jovem Tomasino foi seu amor para sempre.

Então a rainha dos Elfos começou a cantar enquanto sua comitiva se afastava e voltava a cavalgar:

> *Aquela que raptou o jovem Tomasino*
> *Conseguiu um belo rapaz.*
> *Aquela que levou meu lindo cavaleiro*
> *Nada deixou para trás.*
>
> *Mas se eu soubesse, Tomasino,*
> *Que uma dama o levaria*
> *Teria arrancado seus olhos cinzentos*
> *E trocado por galhos de árvore.*
>
> *Se tivesse sabido, Tomasino,*
> *Antes de partirmos,*
> *Teria arrancado seu coração de carne*
> *E trocado por um de pedra.*

Joseph Jacobs

Se eu soubesse ontem
O que aprendi hoje,
Teria pagado ao Diabo sete vezes mais
Para não perder você.

A corte dos Elfos continuou sua jornada, e a jovem Janet e o jovem Tomasino foram para seu lar e logo se casaram, porque Tomasino voltara a ser normal e cristão por causa da água benta.

As estrelas no céu

Era uma vez e muitas outras vezes seguidas uma garotinha que chorava o dia todo e só pensava em brincar com as estrelas no céu. Não queria isso nem aquilo, apenas as estrelas. Certo dia, foi em busca do seu sonho e andou muito até que chegou a uma barragem de moinho.

– Bom dia – disse ela –, procuro as estrelas do céu para brincar com elas. Viu alguma?

– Oh, sim, minha linda garotinha – respondeu a barragem –, elas brilham tanto em meu rosto todas as noites que não me deixam dormir. Venha aqui e talvez encontre alguma.

E ela pulou na barragem e nadou e nadou ao redor, mas não viu nenhuma estrela. Então continuou até chegar a um riacho.

– Bom dia, riacho – saudou –, procuro as estrelas do céu para brincar com elas. Viu alguma?

– Sim, claro que vi, minha linda garotinha – disse o riacho. – Elas brilham nas minhas margens todas as noites. Reme e talvez encontre alguma.

Ela entrou no riacho e remou e remou, mas não encontrou nenhuma estrela. Então prosseguiu viagem até que alcançou o Bom Povo das fadas e dos elfos.

– Bom dia a vocês do Bom Povo – disse ela. – Procuro as estrelas do céu para brincar com elas. Vocês viram alguma?

– Oh, sim, linda garotinha – disseram alguns elfos. – Elas brilham sobre a grama aqui a noite toda. Dance conosco e talvez encontre uma.

E ela dançou muito, mas não viu nenhuma estrela. Então se sentou, cansada, e creio que chorou.

– Oh, coitada de mim – murmurou –, nadei, remei e dancei, e se vocês não me ajudarem nunca irei encontrar as estrelas do céu para brincar.

Então as fadas e os elfos do Bom Povo discutiram entre si, e um deles se aproximou da garotinha e a tomou pela mão, dizendo:

– Se não pretende voltar para sua casa e sua mãe, vá em frente e siga pela estrada da direita. Peça aos Quatro Pés para levá-la até o Sem Pés, e diga a Sem Pés que a leve para as estrelas sem subir degraus, e se conseguir subir sem degraus…

– Oh, mas estarei perto das estrelas do céu? – perguntou a menina, ansiosa.

– Se não for assim, estará em outro lugar – disseram todos, recomeçando a dançar.

Então lá se foi a menina com o coração leve, até que se aproximou de um cavalo selado, preso a uma árvore.

– Bom dia, cavalo. Procuro as estrelas do céu para brincar, será que me dá uma carona, pois meus ossos estão doloridos?

– Não – respondeu o cavalo –, nada sei sobre as estrelas do céu e estou aqui para fazer a vontade do Bom Povo e não a minha.

– Bem – disse ela –, vim justamente do Bom Povo, e eles me disseram para pedir que Quatro Pés me leve a Sem Pés.

– Isso é diferente – disse o cavalo. – Monte e venha comigo.

Eles galoparam até que saíram da floresta e se viram à beira do mar. E na água à sua frente havia um caminho largo e brilhante, correndo diretamente para um arco bonito que se erguia da água até o céu e tinha todas as cores do mundo, azul, vermelho e verde. Era maravilhoso de se olhar.

– Pode apear – disse o cavalo. – Eu a trouxe para o fim da terra e é o máximo que Quatro Pés pode fazer. Preciso voltar para casa e para meu povo.

– Mas – perguntou a menina – onde está Sem Pés e a escada sem degraus?

– Não sei – respondeu o cavalo – e não é da minha conta, então boa sorte para você, minha garotinha. – E partiu galopando.

A menina ficou ali parada, olhando para a água, até que um estranho tipo de peixe veio nadando perto dela.

– Bom dia, peixe grande – ela cumprimentou. – Procuro as estrelas do céu e pela escada que leva até elas. Pode me mostrar o caminho?

– Não – disse o peixe –, não posso a não ser que o Bom Povo me dê permissão.

– Sim, é claro – disse ela. – Eles disseram que Quatro Pés me levaria até Sem Pés, e que Sem Pés me faria subir a escada sem degraus.

– Ah, bem – disse o peixe –, então está tudo certo. Suba nas minhas costas e segure firme.

E lá foram eles. *Splash*! dentro da água, e o peixe nadou pelo caminho prateado, em direção ao arco cintilante. E quanto mais se aproximavam, mais brilhante tudo ficava, até que a menina precisou cobrir os olhos para evitar a luz.

Quando chegaram aos pés do arco, ela viu que na verdade era uma estrada larga e reluzente que subia e desaparecia no céu, e lá no final pôde ver pequenos pontos cintilantes que dançavam.

– Agora – disse o peixe – aqui está você e sua escada; suba se puder, mas segure-se bem. Garanto que a escada na sua casa é bem mais fácil de subir, porque esta aqui não foi feita para os pés de garotinhas.

E lá se foi ele, *splash*, respingando água para todos os lados.

Então ela subiu, e subiu, e subiu, mas não conseguiu avançar nenhum só degrau; a luz estava à sua frente e à sua volta, e a água às suas costas, e quanto mais ela lutava mais se via empurrada para trás, no escuro e no frio, e quanto mais tentava subir mais caía nas profundezas.

Porém tentou e tentou até ficar zonza com tanta luz brilhante, e tremeu de frio e de medo; mas mesmo assim insistiu até que, por fim, muito tonta e desorientada, ela se deixou ir e foi caindo, e caindo, e caindo.

E bateu nas tábuas do assoalho, e se viu sentada, chorando e soluçando, sozinha ao lado de sua cama em casa.

Novidades!

Senhor G. – Ah! Mordomo, como vai você, amigão? Como vão as coisas em casa?

Mordomo – Muito mal, Excelência; a gralha morreu!

Senhor G. – Pobre pássaro! Então morreu. Como foi isso?

Mordomo – Comeu demais, senhor.

Senhor G. – Sério? Que comilão. Bem, do que gostava para comer tanto?

Mordomo – Carne de cavalo; morreu de tanto comer carne de cavalo.

Senhor G. – Como foi comer tanta carne de cavalo?

Mordomo – Comeu todos os cavalos de seu pai, senhor.

Senhor G. – Quê! Os cavalos estão mortos também?

Mordomo – Sim, senhor; morreram de excesso de trabalho.

Senhor G. – E por que trabalharam tanto assim?

Mordomo – Para trazer água, senhor.

Senhor G. – E por que carregaram tanta água?

Mordomo – Para apagar o incêndio, senhor.

Senhor G. – Incêndio! Qual incêndio?

Mordomo – A casa de seu pai queimou até o chão, senhor.

Senhor G. – A casa de meu pai foi incendiada! E como isso aconteceu?

Mordomo – Creio, senhor, que foram as tochas.

Senhor G. – Tochas! Quais tochas?

Mordomo – No funeral de sua mãe.

Senhor G. – Minha mãe morreu?

Mordomo – Sim, pobre senhora, nunca se recuperou depois daquilo.

Senhor G. – Daquilo o quê?

Mordomo – A perda de seu pai.

Senhor G. – Meu pai morreu também?

Mordomo – Sim, pobre senhor. Ficou acamado logo depois de ouvir aquela notícia.

Senhor G. – Ouvir o quê?

Mordomo – As más notícias que não irão agradar o senhor também, Excelência.

Senhor G. – Quê? Mais notícias ruins?!

Mordomo – Sim, senhor, seu banco faliu, perdeu seu crédito e não lhe resta um centavo. Precisei de coragem, senhor, para vir aqui lhe contar, mas achei que gostaria de ouvir as novidades.

A rã, a ratinha e o ratão

Uma rã morava em um poço,
E uma alegre ratinha morava no moinho.
A rã levava consigo
Espada e pistola.
A rã foi à casa da ratinha.

Rã – Está em casa, senhora Ratinha?
Ratinha – Sim, bom senhor, estou,
Calmamente sentada e fiando.
Rã – Senhora, vim namorar
E com você quero casar.
Ratinha – Não vou me casar com você
Até que o tio Ratão volte para casa.
Rã – Saiba que o tio Ratão já chegou
Para buscar a noiva.
Ratão – Quem está sentada junto à parede?
Lady Ratinha magrinha e pequena?
Quem se senta ao lado da noiva?
Lorde Rã amarelado?

Joseph Jacobs

Mas logo chegaram a Pata e sir Pato
A Pata agarrou a Rã e a fez gritar.

Então chegou o velho Gato
Com a rabeca ao ombro:
"Não querem ouvir música?"

A Rã mergulhou no riacho
Sir Pato a segurou com o rabo.
O gato derrubou lorde Ratão,
Os gatinhos enfiaram as garras.

Mas Lady Ratinha, tão pequena e magrinha,
Entrou por baixo do poço em um buracão.
"Que bom – diz ela–, escapei dessa confusão."

O tourinho

Há centenas de anos, quando quase toda esta parte do país era mata virgem, vivia por aqui um garotinho que morava em uma pobre casa. Seu pai lhe deu um filhote de touro, e era tudo que o menino desejava.

Mas assim que o pai morreu, sua mãe casou de novo com um homem que se mostrou um padrasto cruel e não suportava o menino. Então por fim o padrasto disse:

– Se você trouxer aquele tourinho dentro de casa, eu o matarei.

Que malvado ele era, não?

Assim, o rapazinho saía todo dia para alimentar o tourinho com pão de cevada, e, em um certo dia, viu um velho ali por perto... Já vou lhe contar que ele era um mago, e que lhe disse:

– É melhor que você e seu filhote de touro partam em busca de fortuna.

O menino partiu com seu tourinho e caminhou muito e muito, mais do que eu possa dizer para você se falasse até amanhã à noite, e então chegou a uma fazenda, onde implorou por uma crosta de pão, e, quando a conseguiu, voltou para junto de seu animal, dividiu-a em duas partes e deu metade para o tourinho. Continuou seu caminho em busca de fortuna até que chegou a outra casa e implorou por um pedaço de queijo, e quando conseguiu, voltou para dar metade ao tourinho.

– Não – disse o animal e explicou: – Vamos cruzar o campo e vamos para o lado selvagem do país onde há tigres, leopardos, lobos, macacos e um dragão que cospe fogo, e matarei todos menos o dragão, porque ele irá me matar.

O rapazinho chorou e disse:

– Oh, não, meu tourinho. Espero que ele não o mate.

– Matará, sim – insistiu o tourinho. – Então quero que suba naquela árvore para que ninguém se aproxime de você a não ser os macacos, e se eles vierem, o pedaço de queijo o salvará. Quando eu morrer, o dragão irá embora por pouco tempo, e você deverá descer da árvore e esfolar a minha pele para tirar minha bexiga, e assim, com ela, você destruirá qualquer um que queira machucá-lo. Daí, quando o dragão que cospe fogo voltar, você irá atingi-lo com minha bexiga e cortar fora sua língua.

(Sabemos que existiam dragões naquela época, como Jorge e o dragão, mas é claro que o mundo mudou! Virou de cabeça para baixo desde então.)

Quando chegaram aos campos selvagens, é claro que o jovem fez tudo que o tourinho mandou. Subiu na árvore, e os macacos subiram atrás dele. Então segurou firme o queijo na mão e disse:

– Esmagarei seu coração como uma pedra.

Os macacos olharam para ele com receio de se aproximar e disseram:

– Se consegue esmagar uma pedra e fazer o suco sair, pode nos esmagar!

O rapaz foi inteligente e não falou nada, porque os macacos são espertos, mas jogou o queijo para bem longe e os macacos foram embora. E enquanto isso o tourinho lutava com as bestas selvagens no solo, e o garotinho batia palmas no alto da árvore, incentivando:

– Continue, meu tourinho! Boa!

O tourinho venceu todos menos o dragão que cuspia fogo. E o dragão o matou.

O menino esperou muito tempo, até que o dragão foi embora, então desceu da árvore e esfolou a pele do tourinho, retirou sua bexiga e foi atrás do monstro. E enquanto seguia o caminho, não é que viu a filha de um rei presa pelos cabelos em uma armadilha para ser sacrificada e destruída pelo dragão?

Ele se aproximou e desamarrou os cabelos dela, mas a princesa disse:

– Chegou minha hora de ser destruída pelo dragão. Vá embora; nada pode fazer.

Mas ele respondeu:

– Posso vencer sim e não irei embora!

E por mais que ela implorasse e rezasse, ele ficou.

Logo o rapaz ouviu o dragão bem longe, rugindo, enfurecido e por fim ele surgiu e se aproximou, cuspindo fogo e com a língua que parecia uma espada. Era possível ouvir seu rugido ameaçador por muitos quilômetros, e ele se aproximava cada vez mais do lugar onde estava presa a filha do rei. Mas quando chegou perto deles, o rapaz o atingiu na cabeça com a bexiga, e o dragão caiu morto. Porém, antes de morrer, decepou o dedo indicador do rapaz com uma mordida.

Então nosso herói cortou a língua do dragão e disse para a filha do rei:

– Fiz tudo que podia e agora devo deixá-la.

Ela ficou triste porque ele precisava partir. Antes que ele fosse, amarrou um anel de diamante nos cabelos do rapaz e se despediu.

Tempos depois, quem surgiria se não o velho rei, lamentando e chorando, acreditando não ver mais a filha, só as marcas de onde ela pisara. Mas ficou surpreso ao encontrá-la ali, sã e salva, e perguntou:

– Como você se salvou?

Ela contou como fora salva, e o pai a levou de volta para o castelo.

O rei publicou em todos os jornais que desejava encontrar o salvador de sua filha, o homem que estava com a língua do dragão e o anel de diamante da princesa e que não tinha um dedo indicador. Quem pudesse exibir todas essas provas casaria com sua filha e seria rei depois de sua morte.

Muitos cavalheiros vieram de todas as partes da Inglaterra sem o dedo indicador, com anéis de diamantes, e todos os tipos de línguas de bestas selvagens do país e de fora. Porém, não puderam mostrar uma verdadeira língua de dragão e foram dispensados.

Por fim, o rapazinho chegou, esfarrapado e triste, e a filha do rei o viu, mas o rei, seu pai, ficou zangado ao ver aquele mendigo e mandou que o expulsassem dali.

– Pai – disse ela –, conheço aquele rapaz.

Alguns cavalheiros elegantes continuavam chegando e trazendo suas línguas de dragão que não eram de dragão, e enfim o nosso jovem teve permissão para se aproximar, depois que lhe deram roupas um pouco melhores. Então o velho rei disse para a filha:

– Vejo que você se interessa por esse rapaz. Se for ele, que assim seja.

Mas, ao ouvirem isso, os outros cavalheiros quiseram matar o nosso rapaz e gritaram:

– Fora! Fora com esse pobretão, não pode ser ele!

Porém, o rei disse:

– Vamos ver o que você tem para nos mostrar, meu rapaz.

Sem demora ele mostrou o dedo decepado, o anel de diamante com o nome da princesa gravado, depois a língua do dragão. Os outros ficaram chocados quando ele mostrou essas provas! E o rei resolveu:

– Você terá minha filha e minhas terras.

E nosso herói se casou com a princesa e mais tarde assumiu o reino. O padrasto o procurou tentando fazer as pazes, mas o rapaz o mandou embora.

O homenzinho

Era uma vez, quando até os homens mais altos eram baixinhos, e todas as mentiras eram verdade, um homenzinho que tinha uma grande vaca. Certa manhã, saiu para ordenhar a vaca e disse:

> "Fique quieta, minha querida vaca.
> Fique quieta, minha vaquinha
> E terá para o jantar
> Uma pomba bem branquinha."

Mas a vaca muito grande não parava quieta.
– Pare! – gritou o homenzinho.

> "Fique quieta, minha querida vaca
> E encha o balde com leite
> E se me obedecer
> Eu lhe darei um vestido de seda."

Mas a vaca muito grande não parava quieta.
– Ora vejam só! – exclamou o homenzinho.

> "O que pode fazer um homenzinho
> Com uma vaca tão turrona?"

Então ele foi falar com sua mãe em casa.
– Mãe – disse ele –, a vaca não para quieta, e o homenzinho não pode ordenhar um bicho tão grande.
– Ora! – exclamou a mãe. – Pegue uma vara e bata nela.
Então ele foi buscar um galho de árvore, e disse:

> "Bata, vara, bata,
> E lhe darei um bolo."

Mas a vara não batia, e o homenzinho voltou para casa.
– Mãe – disse ele –, a vaca não para quieta, a vara não bate, e o homenzinho não pode dar uma surra na vaca.
– Ora! – exclamou a mãe.– Vá até o açougueiro e peça que mate a vaca.
Então lá foi ele até o açougueiro e disse:

> "Açougueiro, mate a grande vaca
> Ela não quer nos dar leite."

Mas o açougueiro não quis matar a vaca se não recebesse uma moeda de prata, portanto o homenzinho voltou para casa.
– Mãe – disse ele –, a vaca não para quieta, a vara não quer bater, o açougueiro não vai matar a vaca se não receber uma moeda de prata, e o homenzinho não pode ordenhar.
– Bem – disse a mãe –, vá até a vaca e diga a ela que existe uma dama muito cansada com cabelos louros, chorando por uma xícara de leite.

E lá foi o homenzinho, mas a vaca não parava quieta, então ele voltou e contou para a mãe:

– Então – disse ela – diga à vaca que há um bom rapaz que voltou da guerra e que está sentado ao lado da dama muito cansada com cabelos louros, que chora por uma xícara de leite.

Lá foi ele e contou para a vaca, mas mesmo assim ela não parava quieta. Ele voltou e contou para a mãe.

– Bem – disse a mãe –, diga para aquela vaca grande que existe uma espada muito afiada presa ao cinto do bom rapaz que veio da guerra e que está sentado ao lado da dama muito cansada de cabelos louros que chora por uma xícara de leite.

E o homenzinho disse isso para a vaca, que não parou de se mexer.

Então a mãe disse:

– Corra e diga para a vaca que sua cabeça vai ser cortada pela espada muito afiada na mão do bom rapaz se ela não der uma xícara de leite para a dama muito cansada que chora por isso.

E lá foi o homenzinho dizer exatamente isso para a vaca.

Quando a vaca viu o brilho da espada muito afiada na mão do bom rapaz que veio da guerra, e a dama muito cansada de cabelos louros, chorando por uma xícara de leite, concordou que era melhor ficar quieta. Então o homenzinho ordenhou a vaca muito grande, e a dama muito cansada de cabelos louros parou de chorar e conseguiu sua xícara de leite, e o bom rapaz que acabara de voltar da guerra embainhou a espada muito afiada, e tudo que não estava mal correu bem.

A fada fiandeira e a pequena rainha das fadas

Uma mulher tinha uma linda filha que gostava mais de se divertir do que de trabalhar, e que perambulava pelas pradarias e alamedas em vez de fiar na roca. A mãe sofria muito com isso, pois naqueles tempos nenhuma moça tinha chance de conseguir um bom marido se não fosse uma boa fiandeira. Então a mãe reclamava, ameaçava, até batia na filha, mas de nada adiantava; a moça continuava a ser o que a mãe chamava de "bonitinha preguiçosa".

Por fim, em certa manhã de primavera, a mãe lhe deu sete meadas de linho, dizendo que não queria desculpas; a filha deveria devolver as meadas em três dias já fiadas. A moça percebeu que a mãe falava sério, então tratou de fiar na roca o melhor possível; mas não estava acostumada com o trabalho, e na noite do segundo dia apenas uma parte muito pequena da tarefa fora feita. Ela chorou até adormecer naquela noite. Pela manhã, atirou seu trabalho para longe com desespero e foi passear nos campos que brilhavam com as gotas de orvalho. Por fim, chegou aos pés de um pequeno monte onde havia uma área ensombrada pela ramagem e muitas rosas silvestres. Ali ela se sentou, enterrando o rosto nas mãos. Quando ergueu os olhos, ficou surpresa ao ver à margem de um riacho uma velha desconhecida, fiando sem se proteger do sol, sentada sobre uma pedra. Nada havia de extraordinário na sua aparência a não ser pelos lábios, que eram muito grossos e pendiam até o queixo. A moça se levantou, caminhou até a velha senhora e a cumprimentou com amabilidade, mas não conseguiu deixar de perguntar:

– Por que tem lábios tão caídos?

– De tanto fiar! – respondeu a velha, satisfeita com a polidez da moça. – Levo os dedos aos lábios enquanto fio na roca, e os lábios esticam e caem.

– Ah! – exclamou a moça. – Eu também deveria estar fiando, mas não consigo, jamais conseguirei fazer meu trabalho bem feito.

Então a velha se ofereceu para fazer o trabalho por ela. Radiante, a moça correu para pegar o linho e o colocou nas mãos da nova amiga, perguntando se poderia vir buscar as meadas fiadas à noite; mas a velha não respondeu, passando pela moça e desaparecendo entre as árvores e moitas. Muito confusa, a moça caminhou um pouco, sentou-se para descansar e por fim adormeceu junto ao pequeno morro.

Quando acordou, ficou surpresa ao ver que já anoitecera. Vênus, a estrela da noite, espalhava sua luz prateada para ser logo absorvida pelo esplendor da Lua. Observando essas belezas, a moça se espantou com o som de uma voz rude que parecia vir de debaixo da pedra, perto dela. Encostou o ouvido à pedra e escutou as palavras: "Depressa, Rainha das Fadas, pois prometi as meadas fiadas, e a Fada Fiandeira sempre cumpre suas promessas."

Olhando dentro de um buraco na pedra, a moça viu sua amiga, a velha senhora, andando para trás e para frente em uma caverna profunda no meio de outras senhoras, todas sentadas sobre pedras e ocupadas em fiar na roca. Era um grupo grande, todas com os lábios bastante desfigurados como os da velha fiandeira. Uma mulher desse grupo sentava-se em um canto distante, fiando a meada, e tinha cabelos cinzentos que pareciam presos na testa, e um nariz longo e curvo.

Enquanto a moça ainda olhava, ouviu a fiandeira, sua amiga, dirigir-se a essa senhora pelo nome de Rainha das Fadas e dizer:

– Faça um novelo com os fios. É hora de a moça entregar o trabalho para a mãe.

Feliz por ouvir isso, a moça se levantou e caminhou para casa. Logo a fiandeira passou na sua frente e colocou o linho fiado em suas mãos.

– Oh, como posso agradecer? – perguntou a moça com alegria.

– Não precisa agradecer – respondeu a senhora –, mas não conte à sua mãe quem fiou o linho.

Mal acreditando na sua boa sorte, a moça foi para casa, onde viu que a mãe, cansada depois de preparar a massa dos pães e colocar sobre a lareira para crescer, fora dormir. Como estava faminta ao final do longo dia junto ao morro, a moça pegou um pão atrás do outro, acabou de assar e comeu todos para depois ir dormir também.

Na manhã seguinte, a mãe levantou primeiro. Quando chegou à cozinha e descobriu que seus pães haviam sumido e que as sete meadas de linho estavam arrumadas sobre a mesa, macias e brilhantes, saiu de casa correndo e gritando:

"Minha filha fiou sete, sete, sete,
Minha filha comeu sete, sete, sete
E tudo antes do dia clarear!"

Um poderoso senhor que passava ali por acaso, ouviu as exclamações, mas não entendeu as palavras, então cavalgou até a mulher e perguntou qual era o problema, e ela recomeçou:

"Minha filha fiou sete, sete, sete,
Minha filha comeu sete, sete, sete
E tudo antes do amanhecer"

A velha então olhou para o senhor e prosseguiu:

– E se não me acredita, entre e veja por si mesmo.

O senhor apeou e entrou no chalé, onde viu as meadas fiadas e ficou tão admirado com o trabalho que pediu para conhecer a fiandeira.

A mãe veio arrastando a filha, e o senhor disse que era muito sozinho e há muito tempo procurava por uma esposa que fosse boa fiandeira. Então o casamento dos dois foi combinado e a cerimônia em breve se realizou, embora a noiva tivesse muito medo por não poder provar que era tão boa fiandeira como o marido esperava. Porém, a velha Fada Fiandeira veio em seu auxílio.

– Traga seu lindo noivo até mim – disse para a jovem noiva logo após a cerimônia de casamento. – Ele verá o que acontece quando se fia muito e nunca mais irá obrigá-la a fiar.

Dito e feito, no dia seguinte a moça levou seu marido para o morro florido, e pediu que ele olhasse pelo buraco na pedra. Grande foi a surpresa dele ao ver a Fada Fiandeira dançando e pulando sob a pedra, cantando o tempo todo para suas irmãs, enquanto todas fiavam:

> "Nós que vivemos neste covil sombrio
> Somos feias de se olhar
> Mas sempre brilhantes e belos
> São os que respiram o ar da noite
> E se inclinam sobre a pedra
> Invisíveis para todos, menos para mim."

A canção terminou, e a Rainha das Fadas perguntou para a Fada Fiandeira o que ela queria dizer com "invisíveis para todos, menos para mim".

– Há uma pessoa – explicou a fiandeira – a quem pedi que viesse aqui a esta hora, e ele ouviu minha canção através da pedra.

Assim dizendo, ela se levantou, abriu outra porta, escondida pelas raízes de uma velha árvore, e convidou o jovem casal a entrar e conhecer sua família.

O senhor ficou espantado com o grupo esquisito, e não era de estranhar; perguntou para cada uma delas o motivo de terem aqueles lábios tão estranhos, e com diferentes tons de vozes e diferentes movimentos retorcidos na boca, cada uma das fadas respondeu a mesma coisa: isso acontecia de tanto fiar. Pelo menos tentaram dizer, mas uma resmungou: "Ackfd" e a outra "Hssdtl" e uma terceira "Cdlrdf", o que não significava nada, entretanto todas fizeram o marido entender qual era a causa de sua feiura, e a nossa Fada Fiandeira o fez perceber que se a esposa fosse deixada a fiar, seus lindos lábios também perderiam a forma, e seu belo rosto desapareceria.

Então, antes de sair da caverna, o marido jurou que sua pequena esposa jamais tocaria em uma roca, e manteve a promessa.

Ela costumava passear com ele pelos prados ou andar na garupa do seu cavalo, porém todo o linho das suas terras ia para a Fada Fiandeira fiar.

A velha Mãe Mexe-Mexe

O raposo e sua esposa tiveram uma briga feia.
Nunca na vida comeram mostarda,
Jantavam sem garfo e faca,
E adoravam roer um osso, e como!

Certa noite clara o raposo saiu,
Rogando à lua que o iluminasse,
Pois tinha muito a caminhar,
Antes de voltar para sua toca!

Quando chegou aos degraus da cerca
Ergueu as orelhas e ficou ouvindo!
"Oh, oh!" disse, "é um curto trajeto
Daqui até a cidade!"

Primeiro chegou ao quintal de um fazendeiro
Onde os patos e gansos disseram se estressar
E ficar com os nervos abalados
Pelas visitas do senhor Raposo!

Joseph Jacobs

Quando chegou ao portão do fazendeiro,
Quem foi que o raposo viu? O pato;
"Gosto de você e respeito seu patrão,
Mas adoraria roer seus ossos!"

O ganso cinza correu ao redor do monte de feno,
"Oh, oh!", exclamou o raposo. "Você é muito gordo.
Vai desarrumar meus bigodes e pesar nas minhas costas
Daqui até a cidade!"

Então segurou na asa do ganso cinza
E disse: "Madame Ganso,
Vou levá-la sem demora
E carregá-la até minha toca!"

E pegou o pato preto pelo pescoço,
E atirou sobre as costas,
O pato grasnou: *quá-quá-quá*,
Com as pernas balançando!

A Velha Mãe Mexe-Mexe pulou da cama,
E enfiou a cabeça para fora da janela;
"Marido, marido, o ganso cinza sumiu,
E o raposo vai para a toca, oh!"

Então o velho levantou com seu gorro vermelho
E jurou pegar o raposo na armadilha;
Mas o raposo era esperto demais e o enganou
E correu para a cidade, a cidade, oh!

Quando o raposo chegou ao topo do morro
Tocou a trombeta bem alto
Feliz por estar são e salvo
Na cidade, oh!

Mas por fim voltou para sua casa,
Para suas amadas raposinhas, oito, nove, dez,
E disse: "Estamos com sorte! Eis aqui um pato gordo
Com as pernas balançando!"

Então sentou com a esposa faminta,
E comeram muito bem sem garfo e faca.
Nunca comeram um pato melhor,
E os pequenos roeram os ossos!

Pele de Gato

Era uma vez um cavalheiro que possuía belas terras e residências, e gostaria muito de ter um filho que herdasse tudo aquilo. Então quando sua esposa lhe deu uma linda filha, pouco ligou para ela e disse:

– Que eu nunca mais veja seu rosto.

A menina cresceu e era muito admirada por sua beleza, embora o pai nunca pousasse os olhos nela. Por fim, completou 15 anos e estava pronta para se casar. E o pai disse:

– Que se case com o primeiro que aparecer.

Quando todos tomaram conhecimento disso, quem acham que foi o primeiro a chegar se não um velho rude e mau? Então a menina não soube o que fazer e foi se aconselhar com a mulher que tomava conta das galinhas. A mulher disse:

– Diga que não o aceitará a menos que lhe deem um casaco de tecido prateado.

Bem, os pais lhe deram o casaco prateado, mas mesmo assim a menina não aceitou o velho e foi procurar de novo a mulher das galinhas que lhe disse:

– Diga que não o aceita a menos que lhe deem um casaco dourado.

Bem, a menina ganhou seu casaco dourado, mas ainda assim não aceitou o velho como marido e foi falar com a mulher das galinhas de novo. A mulher disse:

– Avise que não o aceitará a não ser que receba um casaco feito com as penas de todos os pássaros do céu.

Então contrataram um homem com um monte enorme de ervilhas, e ele gritou para todos os pássaros no céu:

– Que cada um pegue uma ervilha e deixe cair uma pena.

Cada pássaro pegou uma ervilha e deixou cair uma pena. E todas as penas foram recolhidas para fazer o casaco que deram para a menina. Mas ainda assim ela se recusou a casar e procurou a mulher das galinhas de novo. A mulher disse:

– Diga que precisam lhe dar um casaco de pele de gato.

Fizeram um casaco de pele de gato, e a menina o vestiu, embrulhou seus outros casacos e fugiu para a floresta.

Então caminhou, caminhou e caminhou até chegar ao final da floresta, onde avistou um lindo castelo. Escondeu suas roupas elegantes e se dirigiu aos portões do castelo, pedindo por emprego. A castelã a viu e lhe disse:

– Desculpe não poder oferecer emprego melhor, mas se quiser pode ficar e fazer o trabalho mais pesado.

Então lá foi a moça para a cozinha, e todos a chamavam de Pele de Gato por causa de seu casaco. Porém, a cozinheira era muito má com ela e fazia de sua vida um inferno.

Acontece que, logo depois disso, o jovem senhor do castelo estava para voltar para casa e haveria um grande baile para comemorar a ocasião. Quando os empregados estavam comentando a novidade entre si, Pele de Gato disse:

– Oh, senhora Cozinheira, como gostaria de ir a esse baile!

– Quê! Sua criatura atrevida e suja – disse a cozinheira. – Vai ficar entre os elegantes cavalheiros e damas com sua pele de gato nojenta? Que grande figura!

E assim dizendo pegou uma bacia com água e atirou no rosto de Pele de Gato, mas a menina só sacudiu os cabelos e nada disse.

Quando chegou o dia do baile, Pele de Gato escapuliu do castelo e foi até a beira da floresta onde escondera suas roupas. Tomou banho em uma cachoeira de águas cristalinas, vestiu seu casaco prateado e se apressou para ir ao baile. Assim que entrou, todos ficaram deslumbrados com tanta beleza e tanta graça, e o jovem senhor logo se apaixonou. Convidou-a para ser seu par na primeira dança e depois só dançou com ela pelo restante da noite.

Quando chegou a hora de se despedir, o jovem disse:

– Por favor, diga-me, linda donzela, onde mora.

Pele de Gato fez uma respeitosa cortesia e respondeu:

– Gentil senhor, se tenho que dizer a verdade, moro na "Bacia com Água".

E saiu correndo do castelo, voltando a colocar seu casaco de pele de gato e esgueirando-se para a cozinha sem que a cozinheira percebesse.

No dia seguinte, o jovem procurou sua mãe, a castelã, e declarou que não se casaria com outra além da jovem com o casaco prateado e não descansaria até encontrá-la. Então logo organizaram outro baile, esperando que a bela jovem aparecesse de novo.

Pele de Gato falou para a cozinheira:

– Oh, como gostaria de ir!

E a cozinheira gritou com raiva:

– Ora, criatura atrevida e suja! Faria bela figura entre os elegantes cavalheiros e damas.

E assim dizendo ergueu uma colher de pau e a quebrou nas costas de Pele de Gato. Mas a menina apenas balançou a cabeça e fugiu para a floresta, onde primeiro tomou banho, depois vestiu seu casaco dourado e foi para o salão de baile.

Assim que entrou, todos os olhares se dirigiram para ela, e o jovem senhor logo a reconheceu como a dama da "Bacia com Água" e a convidou para a primeira dança e para todas as outras até o final do baile. Quando chegou a hora de partir, ele perguntou outra vez onde ela morava, mas a jovem só respondeu:

– Bom senhor, se devo ser sincera, moro na "Colher Quebrada".

E assim dizendo fez sua reverência, fugiu do baile, despiu seu casaco dourado e colocou o casaco de pele de gato, voltando para a cozinha do castelo sem que a cozinheira percebesse.

No dia seguinte, quando o jovem não conseguiu encontrar nenhuma indicação de onde ficavam as localidades de "Bacia com Água" e de "Colher Quebrada", suplicou que a mãe o honrasse com outro grande baile para ver se encontrava a linda dama outra vez.

Tudo aconteceu como das outras vezes, Pele de Gato disse à cozinheira o quanto gostaria de ir ao baile, e a cozinheira a chamou de "criatura suja", e rachou a escumadeira na cabeça dela. Mas a menina apenas balançou a cabeça e foi para a floresta, onde primeiro tomou banho nas águas cristalinas, depois vestiu seu casaco de penas e lá foi para o salão de baile.

Quando entrou, todos se surpreenderam com a beleza de seu lindo rosto e a elegância do casaco tão rico e estranho; e o jovem senhor logo viu sua amada, aproximou-se dela e não dançou com mais ninguém durante toda a noite. Quando o baile terminou, ele a pressionou para dizer onde morava, mas ela apenas respondeu:

– Gentil senhor, se devo ser sincera, moro na "Escumadeira Rachada".

Assim dizendo, fez uma cortesia e fugiu para a floresta. Mas dessa vez o jovem senhor a seguiu e a viu trocar o elegante casaco de penas pelo casaco de pele de gato, e a reconheceu como a jovem que trabalhava na cozinha do castelo.

No dia seguinte, ele procurou a castelã, sua mãe, e disse que desejava se casar com a criada da cozinha, Pele de Gato.

– Jamais permitirei isso – disse a mãe, e saiu da sala.

O rapaz ficou tão triste que ficou muito doente. O médico tentou curá-lo, mas o jovem se recusou a tomar qualquer remédio que não fosse dado por Pele de Gato, então o doutor procurou a castelã e disse que seu filho morreria se ela não concordasse com seu casamento com a criada. A senhora precisou ceder, e chamou Pele de Gato.

A jovem vestiu seu casaco dourado e foi ver a senhora, que ficou muito contente com a revelação e permitiu o casamento.

Eles se casaram e logo tiveram um lindo bebê que se tornou um belo menino. Certo dia, quando ele já tinha quatro anos de idade, uma mendiga com seu filho surgiu à porta, e a dama Pele de Gato deu algum dinheiro para seu filho entregar à mendiga, mas, em vez de dar para ela, a criança entregou para o garotinho esfarrapado que o agradeceu com um beijo.

Então a velha cozinheira malvada, ora, pensei que já tivesse sido mandada embora, observou a cena e disse:

– Vejam só como filhos de mendigos se entendem.

Esse insulto atingiu o coração de Pele de Gato, que se dirigiu ao marido, o jovem senhor, e contou tudo a respeito de seu próprio passado e implorou que o marido fosse averiguar o que acontecera com seus pais. Então viajaram na grande carruagem e passaram pela floresta até chegarem perto da casa dos pais de Pele de Gato e se hospedarem em uma taverna nos arredores. Pele de Gato ficou ali enquanto o marido ia verificar se seu pai a receberia.

O pai de Pele de Gato não tivera outros filhos e sua esposa falecera, então ele estava completamente só no mundo e sentia-se deprimido e infeliz. Quando o jovem senhor entrou, o velho senhor mal ergueu os olhos, e os dois se sentaram lado a lado.

– Meu senhor – disse o marido de Pele de Gato –, diga-me se teve uma jovem filha que nunca desejou fitar.

O velho senhor respondeu:

– Sim, é verdade. Sou um grande pecador e daria todos os meus bens terrenos se pudesse vê-la uma vez antes de morrer.

O jovem senhor contou o que acontecera com Pele de Gato, levou o sogro até a taverna para se encontrar com a filha, e depois foram todos para seu castelo, onde viveram felizes para sempre.

Gritos estúpidos

Era uma vez um rapaz que a mãe enviou para comprar uma cabeça de ovelha e limpar. Com medo de esquecer, ele ficava repetindo ao longo do caminho:

"Cabeça de ovelha e limpar!
Cabeça de ovelha e limpar!"

Caminhando, ele chegou a uma escada; mas ao tentar subir caiu, machucou-se e começou a choramingar, esquecendo-se do que tinha que fazer. Então pensou um pouco e concluiu que se lembrava da tarefa. Aí começou a repetir:

"Fígado e luzes e fel e tudo!
Fígado e luzes e fel e tudo!"

Prosseguiu seu caminho e chegou até um homem que estava com problemas no fígado, e gritou:

"Fígado e luzes e fel e tudo!
Fígado e luzes e fel e tudo!"

E o homem o agarrou e o espancou, ordenando-lhe que dissesse:

"Reze para Deus não enviar mais!
Reze para Deus não enviar mais!"

O jovem caminhou, repetindo essas palavras, até chegar a um campo onde uma moça estava semeando trigo:

"Reze para Deus não enviar mais!
Reze para Deus não enviar mais!"

Foi isso que o rapaz gritou, e a semeadora ficou muito zangada e começou a bater nele, fazendo com que repetisse:

"Ore a Deus para enviar muito mais!
Ore a Deus para enviar muito mais!"

Lá foi o rapaz repetindo essas palavras até que chegou a um cemitério onde estava acontecendo um enterro, mas ele continuou dizendo:

"Ore a Deus para enviar muito mais!
Ore a Deus para enviar muito mais!"

Os parentes do morto o agarraram e bateram nele, dizendo que repetisse:

"Que Deus envie a alma para o céu!
Que Deus envie a alma para o céu!"

O rapaz prosseguiu seu caminho e encontrou um cachorro e um gato que iam ser enforcados, e ali também seu grito ecoou:

"Que Deus envie a alma para o céu!
Que Deus envie a alma para o céu!"

As boas pessoas ali ficaram furiosas, pegaram o rapaz e bateram nele, obrigando-o a dizer:

"Um cão e um gato serão enforcados!
Um cão e um gato serão enforcados!"

O pobre rapaz ficou repetindo isso, até que se aproximou de um homem e uma mulher que estavam indo se casar, e então gritou bem alto:

"Um cão e um gato serão enforcados!
Um cão e um gato serão enforcados!"

O homem ficou furioso, como bem podemos imaginar, deu-lhe muitas pancadas e ordenou que repetisse:

"Desejo-lhes muita alegria!
Desejo-lhes muita alegria!"

E o rapaz repetiu essas palavras, até que se aproximou de dois trabalhadores que haviam caído em uma vala. O rapaz não parava de repetir:

"Desejo-lhes muita alegria!
Desejo-lhes muita alegria!"

Isso irritou tanto um dos homens que, usando de toda a sua força, saiu da vala, bateu no rapaz e mandou que repetisse:

Joseph Jacobs

"Um está fora, queria que o outro estivesse também!
Um está fora, queria que o outro estivesse também!"

O rapaz prosseguiu caminho até que encontrou um sujeito com um olho só; mas continuava com sua cantilena, repetindo-a sem pensar:

"Um está fora, queria que o outro estivesse também!
Um está fora, queria que o outro estivesse também!"

Isso foi demais para o caolho, que o agarrou e lhe deu uma surra, fazendo com que repetisse:

"Um lado dá boa luz, gostaria que o outro também!
Um lado dá boa luz, gostaria que o outro também!"

E assim foi repetindo até que chegou a uma casa e um dos lados estava pegando fogo. Ao ouvi-lo, as pessoas julgaram que fora o rapaz que pusera fogo na casa, e o mandaram para a prisão. O triste final da história foi que o juiz o julgou culpado e o condenou à morte.

O verme de Lambton

Um rapaz aventureiro era o herdeiro de Lambton, a bela propriedade junto ao rio Wear de águas ligeiras. Ele nunca ia à missa na capela aos domingos e preferia pescar. Não gostava de trabalhar, e as pragas que dizia podiam ser ouvidas até pelas pessoas que seguiam pelo caminho para Brugeford.

Certo domingo ele estava pescando como sempre, mas ainda não conseguira pescar nem um só salmão, e seu cesto já não tinha insetos nem iscas. E quanto mais a sorte piorava, mais palavrões dizia, até que as pessoas que passavam por ali para assistir à missa ficaram horrorizadas com seu linguajar.

Mas por fim o jovem Lambton sentiu um forte puxão na linha.

– Afinal! – exclamou. – E pelo puxão é peixe dos grandes!

Puxou e puxou, até que da água surgiu uma cabeça parecida com a de um elfo com nove buracos de cada lado da boca. Mesmo assim o rapaz continuou puxando até conseguir arrastar a criatura para a terra, e então ela se transformou em um verme horrendo. Se antes o rapaz já xingava palavrões, imaginem agora.

– Por que tudo isso, meu filho? – perguntou uma voz próxima a ele. – E o que foi que pescou para ofender o Dia do Senhor com um linguajar desses?

Olhando em volta, o jovem Lambton viu um velho esquisito ao seu lado.

– Bem, na verdade – respondeu –, acho que peguei o próprio Diabo. Olhe para isso e veja se sabe o que é.

Mas o estranho balançou a cabeça em negativa e disse:

– Você nem qualquer outra pessoa deveria trazer tal monstro para a margem. Mas não o jogue de volta ao rio; você o pescou e você deve mantê-lo. – Assim dizendo, o velho deu as costas e não foi mais visto.

O jovem herdeiro dos Lambton pegou a coisa asquerosa e, retirando-a do anzol, atirou-a em um poço ali perto, e desde então esse poço é chamado de Poço do Verme.

Durante certo tempo, nada mais se soube ou se ouviu sobre o verme, mas ele estava crescendo até que, certo dia, ficou maior que o poço, saiu dali com um tamanho enorme e se dirigiu até o rio Wear. O dia inteiro ficava enroscado em uma pedra no meio do rio e à noite saía dali para atormentar os que viviam no campo. Sugava o leite das vacas, devorava as ovelhas, atormentava o gado e amedrontava todas as mulheres e meninas da área para depois se retirar pelo restante da noite no morro que até hoje se chama Morro do Verme, na margem norte do rio Wear, cerca de dois quilômetros e meio da mansão Lambton.

Esse visitante terrível fez o jovem Lambton criar juízo. E ele jurou pela Cruz e partiu para a Terra Santa na esperança de que a maldição que trouxera para suas terras desaparecesse. Mas o verme pegajoso não sossegava e acabou cruzando o rio e indo diretamente para a Mansão Lambton, onde o velho senhor vivia sozinho, já que o filho partira para a Terra Santa.

O que fazer? O verme se aproximava cada vez mais da mansão; as mulheres gritavam, os homens pegavam em armas, cães ladravam e cavalos relinchavam com pavor. Até que o mordomo gritou para as criadas que cuidavam das vacas:

– Tragam todo o leite aqui.

Quando elas obedeceram e levaram todo o leite que as nove vacas no estábulo haviam fornecido, o mordomo derramou tudo sobre a grande pedra em frente à mansão.

O verme foi se aproximando devagar até que chegou junto à pedra. Cheirou, engoliu todo o leite e depois se virou lentamente e cruzou o rio Wear, encolhendo-se três vezes em volta do Morro do Verme para passar a noite ali.

Dali em diante, o verme atravessava o rio todos os dias e ficava junto à mansão; quando o leite provinha de menos de nove vacas, sibilava com fúria, batia sua cauda nas árvores do parque com tanta raiva que arrancava as raízes dos carvalhos mais grossos e dos pinheiros mais altos. E assim foi por sete anos. Muitos tentaram matar o verme, mas todos fracassaram; e muitos cavaleiros perderam a vida lutando com o monstro, que aos poucos foi ceifando a existência de todos que se aproximavam dele.

Por fim, o jovem Lambton voltou para a mansão de seu pai, após sete longos anos de meditação e arrependimento em solo sagrado. Mas ficou triste e frustrado ao retornar: as terras não estavam lavradas, as fazendas estavam desertas, não havia metade do arvoredo nos parques, e ninguém ficara para cuidar das nove vacas, portanto não havia leite para alimentar o monstro todos os dias.

O jovem procurou pelo pai e implorou seu perdão pela maldição que trouxera para seu lar.

– Seu pecado está perdoado – disse o pai –, mas procure a mulher sábia de Brugeford e descubra como poderemos nos livrar do monstro.

Então o jovem foi procurar a mulher sábia e pediu seu conselho.

– É por sua culpa que sofremos, meu jovem – disse ela –, e, portanto, só você deverá nos livrar do mal.

– Darei minha vida – ele prometeu.

– Talvez seja preciso – disse a mulher –, mas ouça e preste muita atenção. Só você pode matar o verme. Para isso, procure o ferreiro e faça que sua armadura seja cravejada com pontas de espadas. Então vá até a toca do verme em Wear e fique de prontidão. Quando o verme vier para a rocha ao amanhecer, tente sua destreza com a espada e que Deus o faça ter sucesso.

– Farei isso – prometeu o jovem Lambton.

– Porém ouça mais isso – disse a mulher sábia, já retornando para sua cabana. – Se você matar o verme, jure que irá matar também a primeira coisa que encontrar quando cruzar de novo o limite da mansão Lambton. Faça isso e tudo ficará bem com você e com todos nós. Não cumpra sua promessa e nenhum dos Lambton por muitas gerações irá morrer de morte natural em sua cama. Jure e não vá fracassar.

O jovem jurou como a mulher sábia pediu e foi até o ferreiro; ali sua armadura foi toda cravejada por pontas afiadas de espadas. Depois fez vigília na capela de Brugeford e, ao amanhecer, assumiu seu posto na rocha do verme no rio Wear.

De manhã, o verme se desenrolou do morro e foi para sua rocha junto ao rio. Quando viu o jovem que o aguardava, ele açoitou as águas com fúria e se enroscou em volta do rapaz, tentando esmagá-lo até a morte. Mas quanto mais apertava mais enfiava as pontas das espadas no próprio corpo. E pressionou e pressionou até que a água do rio ficou vermelha com seu sangue. Então o verme se desenrolou do rapaz e o deixou livre para manejar a espada na mão.

O jovem ergueu a espada e a fez cair sobre o verme, cortando-o em dois. Uma metade caiu no rio e foi logo levada pelas águas velozes. Restou a metade do verme com a cabeça que se enrolou de novo no rapaz, mas já com menos força, e então as pontas das espadas na armadura fizeram sua parte. Por fim, o verme se desenrolou, soltou o restante de fumaça, sangue e fogo que lhe restava e rolou para morrer dentro do rio, desaparecendo para sempre.

O jovem Lambton nadou até a margem e fez soar três notas na sua trombeta. Era o sinal para a criadagem e o velho pai na mansão, onde estavam todos reunidos para rezar pelo sucesso do rapaz. Quando o terceiro som da trombeta se fizesse ouvir deveriam soltar Boris, o cão favorito do rapaz, mas ficaram tão felizes com a vitória sobre o verme que se esqueceram das ordens recebidas. Quando o rapaz chegou à entrada da mansão, seu velho pai se apressou a sair para cumprimentá-lo e apertá-lo contra o peito.

– O juramento! O juramento! – gritou o jovem de Lambton e tocou uma quarta nota na trombeta. Dessa vez os criados se lembraram de soltar Boris, que veio todo feliz encontrar o dono. Então o rapaz ergueu sua espada cintilante e cortou a cabeça do fiel cachorro.

Mas o juramento já fora quebrado e por nove gerações de homens da família Lambton nenhum morreu de morte natural na cama. E o último dos Lambton morreu em sua carruagem quando cruzava a ponte Brugeford, cento e trinta anos atrás.

Os homens sábios de Gotham

A compra de ovelhas

Havia dois homens em Gotham; um deles ia ao mercado em Nottingham comprar ovelhas, e o outro estava voltando do mercado. Ambos se encontraram na ponte.

– Aonde vai? – perguntou o que voltava do mercado.

– Ora – respondeu o que estava indo ao mercado. – Vou comprar ovelhas.

– Comprar ovelhas? – repetiu o outro. – E por qual caminho vai trazê-las para casa?

– É claro – disse o outro – que por cima da ponte.

– Por São Jorge! – exclamou o que voltava do mercado. – Não vai não.

– Por Todos os Santos! – exclamou o outro. – Vou sim.

– Não vai.

– Vou sim.

Então eles bateram com os cajados na ponte e um no outro como se estivessem disputando cem ovelhas ali mesmo.

– Pare – disse um deles –, senão minhas ovelhas não terão segurança para cruzar a ponte.

– Pouco me importo – disse o outro –, elas não passarão por aqui.

– Vão passar sim.

E o outro disse:

– Se continuar falando, vou enfiar os dedos na sua boca.

– Vai mesmo? – desafiou o outro.

E enquanto eles discutiam, outro homem de Gotham veio do mercado com um saco de sementes sobre o cavalo e, ao ouvir e ver seus vizinhos discutindo por causa de ovelhas que nem estavam ali, exclamou:

– Ah, tolos! Será que nunca irão usar o cérebro? Ajudem-me a colocar o saco sobre os ombros.

Os outros dois ajudaram, e o terceiro homem foi até o lado da ponte, afrouxou a boca do saco e atirou todas as sementes no rio.

– Agora, vizinhos, quantas sementes há no meu saco?

– Ora – responderam os outros dois. – Nenhuma.

– Exatamente – concordou o terceiro. – Vocês também não têm nada na cabeça para ficar brigando sobre coisas que nem possuem.

Qual dos três era o mais sábio? Vocês podem julgar!

Para prender um cuco

Certa vez, os homens de Gotham queriam prender o cuco para que cantasse o ano todo e, no meio da cidade, ergueram uma cerca-viva redonda e fechada. Pegaram um cuco e puseram o pássaro dentro da cerca, dizendo:

– Fique aí e cante o ano todo ou não lhe daremos nem comida nem água.

Assim que o cuco percebeu que estava dentro de uma cerca a céu aberto voou para longe.

– Vamos nos vingar! – exclamaram os homens. – Não fizemos a cerca alta o suficiente.

Joseph Jacobs

Enviando queijos

Havia um homem em Gotham que foi ao mercado em Nottingham para vender queijos e, quando descia o morro para a ponte, um dos queijos caiu da sacola e rolou morro abaixo.

– Ah, danado – disse o sujeito. – Quer correr para o mercado sozinho? Vou enviar um queijo depois do outro atrás de você.

Então baixou a sacola e soltou todos os queijos, que rolaram morro abaixo. Alguns entraram em uma das moitas, outros desapareceram no mato.

– Ordeno que todos me encontrem perto do mercado – disse o homem, e quando chegou ao seu destino para encontrar seus queijos ficou ali esperando até quase a hora de o mercado fechar.

Então começou a perguntar aos amigos e vizinhos e até aos estranhos se haviam visto seus queijos chegando ali.

– Quem iria trazê-los? – perguntou um dos homens.

– Ora! Vinham sozinhos – respondeu o sujeito. – Conhecem o caminho muito bem. – E acrescentou: – Vou me vingar de todos eles. Tive medo de que fossem passar do mercado quando os vi correndo tanto. Agora tenho certeza de que estão quase chegando a York.

Então alugou um cavalo para ir a York e recuperar seus queijos, mas até hoje nunca os encontrou.

Afogando enguias

Quando chegou a Sexta-Feira Santa, os homens de Gotham puseram suas cabeças para funcionar juntas a fim de decidir o que deveriam fazer com seus arenques brancos e vermelhos, sardinhas miúdas e outros peixes de água salgada. Foram se consultando entre si e concordaram que esses peixes deveriam ser lançados no lago que ficava no centro da cidade, para que procriassem no ano seguinte, e cada homem que possuía peixes de água salgada atirou os seus no lago.

– Tenho muitos arenques brancos – disse um.
– Tenho muitas sardinhas miúdas – disse o outro.
– Tenho muitos arenques vermelhos – disse um terceiro.
– Tenho muitos peixes de água salgada. Vamos jogar todos no lago e viveremos como lordes no ano que vem.

No início do ano seguinte, os homens se aproximaram do lago para recolher seus peixes, e só encontraram ali uma enorme enguia.

– Ah – lamentaram eles –, essa enguia nos enganou porque comeu todos os nossos peixes.

– O que faremos com ela? – perguntou um deles.
– Vamos matá-la – propôs outro.
– Cortá-la em pedacinhos – disse um terceiro.
– Não – retrucou o vizinho e propôs: – vamos afogá-la.
– Que assim seja – concordaram todos.

E foram para outro lago e atiraram a enguia ali.
– Fique aí e se vire sozinha porque nenhum de nós lhe dará ajuda.

E lá deixaram a enguia para se afogar.

Sobre o aluguel

Certa vez, os homens de Gotham se esqueceram de providenciar com antecedência o envio de seu aluguel para o dono das terras.

Um disse para o outro:
– Amanhã é dia de pagamento, e o que faremos para mandar o dinheiro para nosso amo?

Outro disse:
– Hoje cacei uma lebre, e ela poderá levar o dinheiro até lá porque é ágil.
– Está certo – concordaram todos. – Vamos enviar cartas, e ela terá uma bolsa para guardar nosso dinheiro. Precisamos também indicar o caminho certo.

Depois que as cartas foram escritas e o dinheiro colocado dentro de uma bolsa, amarraram-na em volta do pescoço da lebre, dizendo:

— Primeiro vá para Lancaster, depois para Loughborough, e logo encontrará nosso amo em Newark. Dê nossas lembranças a ele e entregue o que lhe devemos.

Assim que a lebre se viu livre das mãos dos homens, correu para o campo. E alguns homens gritaram:

— Você precisa ir para Lancaster primeiro!

— Deixem a lebre em paz – comentou outro. – Ela conhece os caminhos mais fáceis melhor do que nós todos. Deixem que vá.

E outro acrescentou:

— É uma lebre esperta. Deixem a pobrezinha tranquila. Não vai pela estrada principal porque tem medo dos cachorros.

Contando

Certa vez, havia doze homens de Gotham que foram pescar, e alguns entraram na água, e outros ficaram em terra firme; e quando estavam voltando, um deles disse:

— Hoje nos aventuramos muito dentro da água; rezo a Deus que nenhum de nós que está voltando para casa agora tenha se afogado.

— Ora – disse outro –, vamos conferir. Éramos doze.

E cada homem contou onze, e todos contaram onze porque ninguém se incluiu na contagem.

— Céus! – espantaram-se entre si. – Um de nós se afogou!

Voltaram para o riacho onde tinham estado pescando e procuraram pelo companheiro que devia ter se afogado, lamentando muito.

Então, um cortesão vinha passando e perguntou o que estavam procurando e por que estavam tão aflitos.

— Oh – responderam os homens de Gotham –, viemos pescar neste riacho e éramos doze, e um de nós se afogou.

— Ora – disse o cortesão –, digam-me em quantos vocês estão aqui.

E um dos homens contou onze sem se incluir.

– Bem – perguntou o cortesão malandro –, o que me darão se eu encontrar o décimo segundo?

– Senhor – disseram eles –, todo o dinheiro que temos.

– Então me deem o dinheiro – disse o cortesão.

E começou a contagem. Bateu com tanta força no ombro do primeiro homem que ele gemeu.

– Eis o primeiro – disse o cortesão.

E foi batendo no ombro dos demais com tanta força que todos gemeram; e quando chegou ao último homem deu um safanão ainda maior.

– Aqui está o décimo segundo homem.

– Bendito seja! – gritaram todos os doze. – Você encontrou nosso vizinho!

A princesa de Canterbury

Antigamente, vivia no condado de Cumberland um nobre que tinha três filhos, sendo que dois eram jovens bonitos e inteligentes, porém o terceiro era um bobalhão chamado Jack que em geral ficava junto das ovelhas; usava um casaco de várias cores e um chapéu pontudo com uma borla, muito apropriado para o seu tipo.

O rei de Canterbury tinha uma linda filha que era famosa por sua esperteza e inteligência. Então o rei expediu um decreto declarando que o rapaz que respondesse três perguntas feitas pela princesa se casaria com ela e seria o sucessor após sua morte.

Logo depois da publicação desse decreto, os filhos do nobre tomaram conhecimento e os dois inteligentes resolveram se candidatar e ficaram desesperados para impedir que o irmão bobo os acompanhasse. Mas não conseguiram de jeito nenhum se livrar dele, e por fim foram obrigados a permitir que Jack os acompanhasse.

Não haviam ido muito longe quando Jack começou a rir como um louco, dizendo:

– Encontrei um ovo.

– Guarde-o no seu bolso – disseram os dois irmãos.

Um pouco depois, ele começou a rir de novo quando encontrou um galho torto de aveleira e que também guardou no bolso. Pela terceira vez caiu na risada de maneira escandalosa porque encontrou uma noz. E mais esse tesouro foi colocado no bolso.

Quando chegaram ao palácio foram logo admitidos ao dizerem a natureza de sua visita, e enviados para um aposento onde o rei, a princesa e suas damas estavam sentados. Jack, que não era de fazer cerimônia, foi logo dizendo:

– Que grupo de damas bonitas temos aqui!

– Sim – concordou a princesa –, somos lindas damas, pois temos fogo em nosso íntimo. Acredita?

– Sim, acredito – disse Jack e pediu: – Então me fritem um ovo. – E tirou o ovo do bolso.

– E como vai tirá-lo de nosso íntimo? – perguntou a princesa.

– Com uma varinha torta – respondeu Jack, retirando o galho de aveleira do bolso.

– De onde veio isso? – perguntou a princesa.

– De uma semente – respondeu Jack, retirando a noz do bolso. – Respondi suas três perguntas e agora serei seu noivo.

– Não, não – apressou-se o rei a dizer –, não tão depressa. Ainda precisa passar por uma prova. Deverá voltar aqui em uma semana e ficar de vigília uma noite inteira com minha filha, a princesa. Se conseguir ficar acordado a noite toda, poderá se casar com ela no dia seguinte.

– E se não conseguir? – perguntou Jack.

– Então mandarei cortar sua cabeça – disse o rei. – Mas não precisa tentar se não quiser.

Jack voltou para casa e durante uma semana pensou muito se deveria tentar conquistar a princesa. Por fim, tomou uma decisão.

– Resolvi – disse ele –, vou tentar a sorte; terei a filha do rei ou serei um pastor sem cabeça!

E pegando sua garrafa e sua sacola, rumou para a corte. No caminho, foi obrigado a cruzar um rio. Tirou os sapatos e as meias, e quando estava passando viu muitos peixinhos bonitos dançando em volta dos seus pés; então pegou alguns e colocou-os dentro dos bolsos. Quando chegou ao palácio, bateu com força no portão com seu cajado e, tendo dito qual o motivo de sua visita, foi logo conduzido ao salão onde a princesa se sentava pronta para receber seus admiradores. Indicaram uma rica poltrona para Jack, e colocaram à sua frente toda a sorte de vinhos e iguarias. Desacostumado a tais luxos, ele comeu e bebeu muito, de modo que estava quase dormindo antes mesmo da meia-noite.

– Oh, pastor – chamou a princesa –, vi você cochilando!

– Não, doce senhora, estava ocupado pescando.

– Pescando?! – repetiu a princesa muito espantada. – Não, pastor, não há lago com peixes no salão.

– Não importa. Andei pescando no meu bolso e acabei de pegar um peixe.

– Oh, céus! – ela exclamou. – Deixe-me ver.

Malicioso, ele tirou o peixe do bolso e, fingindo ter pescado naquela hora, mostrou para a princesa, que ficou muito admirada.

Meia hora mais tarde, ela disse:

– Pastor, será que consegue pescar mais um peixe?

– Talvez – Jack respondeu. – Preciso pôr a isca no anzol. – E, minutos depois, mostrou outro peixe, mais bonito que o primeiro, e a princesa ficou tão contente que permitiu que Jack fosse dormir, prometendo desculpá-lo perante seu pai, o rei.

Pela manhã contou ao rei, que ficou muito espantado. Jack não deveria ser decapitado, pois pescara no salão a noite toda; quando o rei soube como ele pescara um lindo peixe do bolso, pediu que fizesse o mesmo para ele.

Sem demora, Jack prometeu satisfazer o rei e, recomendando que não olhasse, fingiu pescar outro no bolso; segurando na mão, enfiou disfarçadamente uma agulha no peixe. Então ergueu a mão e mostrou ao rei.

Sua Majestade não acreditou muito naquela encenação, mas concordou que era admirável, e a princesa e Jack se casaram naquele mesmo dia e viveram por muitos anos com felicidade e prosperidade.

Fim